Ingrid

Édition : Pascale Mongeon
Infographie : Chantal Landry
Révision : Lise Duquette
Correction : Brigitte Lépine et Odile Dallaserra
Photo : Andréanne Gauthier
Assistante photo : Marie-Claude Fournier
Maquillage : Anaïs Côté
Coiffure : Louis Magnan
Styliste vestimentaire : Katerine Campeau

Catalogage avant publication de Bibliothèque et Archives
nationales du Québec et Bibliothèque et Archives Canada

Titre : Ingrid / Anne Boyer ; avec la collaboration de
Dominique Drouin.
Noms : Boyer, Anne, 1959- auteure. | Drouin, Dominique,
1958- auteure.
Collections : Yamaska.
Description : Mention de collection : Yamaska
Identifiants : Canadiana 20190024801
| ISBN 9782761951845
Classification : LCC PS8553.O9359 I54 2019
| CDD C843/.6—dc23

Suivez-nous sur le Web
Consultez nos sites Internet et inscrivez-vous à
l'infolettre pour rester informé en tout temps
de nos publications et de nos concours en ligne.
Et croisez aussi vos auteurs préférés et notre
équipe sur nos blogues !

EDITIONS-HOMME.COM
EDITIONS-JOUR.COM
EDITIONS-PETITHOMME.COM
EDITIONS-LAGRIFFE.COM
RECTOVERSO-EDITEUR.COM
QUEBEC-LIVRES.COM
EDITIONS-LASEMAINE.COM

DISTRIBUTEURS EXCLUSIFS :

Pour le Canada et les États-Unis :
MESSAGERIES ADP inc.*
Téléphone : 450-640-1237
Internet : www.messageries-adp.com
* filiale du Groupe Sogides inc.,
  filiale de Québecor Média inc.

Pour la France et les autres pays :
INTERFORUM editis
Téléphone : 33 (0) 1 49 59 11 56/91
Service commandes France Métropolitaine
Téléphone : 33 (0) 2 38 32 71 00
Internet : www.interforum.fr
Service commandes Export – DOM-TOM
Internet : www.interforum.fr
Courriel : cdes-export@interforum.fr

Pour la Suisse :
INTERFORUM editis SUISSE
Téléphone : 41 (0) 26 460 80 60
Internet : www.interforumsuisse.ch
Courriel : office@interforumsuisse.ch
Distributeur : OLF S.A.
Commandes :
Téléphone : 41 (0) 26 467 53 33
Internet : www.olf.ch
Courriel : information@olf.ch

Pour la Belgique et le Luxembourg :
INTERFORUM BENELUX S.A.
Téléphone : 32 (0) 10 42 03 20
Internet : www.interforum.be
Courriel : info@interforum.be

10-19

Imprimé au Canada

© 2019, Les Éditions de l'Homme,
division du Groupe Sogides inc.,
filiale de Québecor Média inc.
(Montréal, Québec)

Tous droits réservés

Dépôt légal : 2019
Bibliothèque et Archives nationales du Québec

ISBN (version papier) 978-2-7619-5184-5
ISBN (version numérique) 978-2-7619-5185-2

Gouvernement du Québec – Programme de crédit d'impôt
pour l'édition de livres – Gestion SODEC –
www.sodec.gouv.qc.ca

L'Éditeur bénéficie du soutien de la Société de dévelop-
pement des entreprises culturelles du Québec pour son
programme d'édition.

Conseil des Arts   Canada Council
du Canada   for the Arts

Nous remercions le Conseil des Arts du Canada de l'aide
accordée à notre programme de publication.

Financé par le gouvernement du Canada
Funded by the Government of Canada | Canadä

Nous reconnaissons l'aide financière du gouvernement du
Canada par l'entremise du Fonds du livre du Canada pour
nos activités d'édition.

ANNE BOYER
avec la collaboration
de Dominique Drouin

Ingrid

Roman

 LES ÉDITIONS DE L'HOMME

NOTE DE L'ÉDITEUR

Ce roman a été écrit avant le décès tragique, survenu le 30 avril 2019, d'une fillette de sept ans à Granby dont le dossier était suivi par la DPJ. Toute ressemblance avec des faits ou des personnes réels demeure fortuite.

Je dédie ce livre à tous ceux qui,
comme moi, ont été adoptés.

Préambule

Ce préambule a été initialement publié sous le titre « Ingrid, une histoire d'été » dans le magazine 7 Jours à l'été 2018 et présente le point de départ de l'histoire d'Ingrid, racontée dans le roman qui suit. L'action débute neuf mois après la fin des romans Hélène, Réjanne *et* Julie. *Vous pouvez lire ce qu'Ingrid et Olivier ont vécu précédemment dans le roman* Hélène.

Ingrid jette un regard satisfait dans la glacière. Tout y est : deux bonnes bouteilles de rouge, des tomates, de la mozzarella di bufala, des côtelettes d'agneau qui marineront encore plusieurs heures et un gâteau aux figues et aux noix qu'Olivier adore. Elle regarde l'heure, pas le temps de flâner si elle veut être à la porte de DuoBuzzz quand son amoureux finira sa journée. Elle va dans leur chambre pour mettre dans un sac de voyage les vêtements nécessaires pour les deux jours. Ingrid est bien décidée à renverser la vapeur dans leur couple. Depuis qu'elle l'a trompé, plus rien n'a été pareil. Olivier assure lui avoir pardonné cette incartade, mais, consciemment ou pas, il lui en veut encore. Quand il est contrarié ou fatigué, il a toujours comme un nuage gris au-dessus de la tête et lui fait des reproches déguisés. Et elle, Ingrid, n'en peut plus.

Elle veut que ça change et elle a organisé ce week-end pour ça. Elle prend le sac, attrape la glacière et quitte le condo.

Ingrid surveille la porte d'entrée du *building*. Le voilà son Oli, en grande conversation avec Théo et Suzie, ses collègues de travail. Même si ce n'est pas facile depuis plusieurs mois, elle l'aime tellement, son homme, et elle est prête à tout pour que ça redevienne comme avant. Comme il s'apprête à aller dans le stationnement, elle donne un coup de klaxon. Olivier se retourne et la voit enfin.

— Ingrid? Qu'est-ce que tu fais là?

Ingrid sort de l'auto et salue Théo et Suzie qui s'éloignent rapidement, car ils sont attendus pour le cinq à sept chez Alicia et Geoffroy.

— Monte, dit Ingrid à son mari.

— Mon auto est dans le stationnement.

— Tu la reprendras dimanche.

— Dimanche?

— Je te kidnappe, mon mari! Week-end d'amoureux.

— Où ça? Tu sais bien qu'on n'a pas assez d'argent pour…

— Je sais tout ça. C'est un gars de la maison de production qui me passe son chalet.

— Oui, mais…

— Arrête de chipoter, pis embarque dans l'auto, Olivier Brabant!

Olivier se laisse finalement convaincre. Il monte dans l'auto.

— C'est où?

— Près de Lac-Mégantic. On a pour deux heures et demie de route à faire, mais j'ai une super bonne *playlist*.

Pour prouver ses dires, elle appuie sur un bouton. La chanson *Olivia* de Gustafson emplit l'habitacle.

Buzzz-le-chat, le félin adopté par le bureau depuis plus d'un an maintenant, grimpe sur le rebord de la fenêtre et regarde Olivier et Ingrid partir. Étrange, se dit-il, avec un museau dubitatif. Jamais Ingrid ne vient chercher Oli. Les humains sont si imprévisibles. Philosophe, il se dit que, quoi qu'il arrive, il sera là au retour de son Oli pour le réconforter s'il y a lieu. Il est le chat antistress, tout le monde le dit.

La route leur a paru courte et les indications du propriétaire du chalet étaient limpides. Ils arrivent pile dans un genre de petit stationnement en terre battue.

— Ça a l'air grand, commente Olivier.

— Oui, mais en fait c'est divisé en deux, dit Ingrid.

— Ah, ouain? On va avoir des voisins?

— Non. Il n'y a personne à côté en fin de semaine.

— Fiou.

Le chalet est petit mais confortable et la vue sur le lac, magnifique. Ils se hâtent d'entrer leurs bagages pour pouvoir profiter du coucher de soleil. Assis dans les fauteuils Adirondack de la galerie, Olivier tend sa main et Ingrid y glisse la sienne. Elle se dit qu'elle a vraiment été inspirée en organisant ce week-end surprise.

À huit heures, le samedi matin, des cris d'enfants les réveillent. Ingrid se redresse dans le lit.

— C'est pas vrai.

Elle se lève et va voir à la fenêtre.

— C'est quoi? demande Olivier, à moitié endormi.

— Du monde qui arrive à côté, répond Ingrid d'un ton maussade.

— T'avais pas dit que…

— Oui, le coupe Ingrid. Merde!

Par la fenêtre, Ingrid peut voir un homme et une femme début trentaine qui font des allers-retours avec des valises. Deux petits garçons courent partout en criant. Une fillette d'environ un an hurle, encore prisonnière de son siège d'auto.

— Il m'avait promis qu'on serait seuls, marmonne Ingrid.

— Il a menti. Il y a des gens de même qui peuvent pas tenir leurs promesses.

Ingrid saisit bien l'allusion à ce qui s'est passé entre eux. Ça la pique au vif.

— Tu me niaises, répond-elle froidement.

— Pogne pas les nerfs, je disais ça comme ça, minimise Olivier.

— Me semble, oui.

Elle sort de la chambre, en colère. Ça, se dit Ingrid, je ne suis plus capable! Ces sous-entendus répétés qui lui rappellent sans cesse sa tromperie. Ingrid va chercher son cellulaire pour téléphoner au proprio du chalet et en avoir le cœur net. Quelques minutes plus tard, elle relate la conversation à Olivier, venu la rejoindre dans le séjour.

— Il est désolé, il s'excuse. Il dit qu'il va nous le repasser une autre fois pour se faire pardonner.

— On va quand même pas se faire casser les oreilles pendant deux jours.

— Les gens qui viennent d'arriver, c'est une famille d'accueil qui a besoin de changer de décor, il paraît, explique Ingrid.

— Ah, ouain?

— Ils vivent dans un immeuble où il y a eu un gros dégât d'eau. Là, il y a de la construction depuis des mois. Ils ont besoin de calme, ils sont en train de virer fous, complète-t-elle.

— Et ils sont venus ici pour nous faire virer fous, nous autres aussi, laisse tomber Olivier.

— Oui, monsieur. C'est là qu'on va voir si on est faits forts, rétorque Ingrid en souriant, bien décidée à ne pas se laisser décourager.

Ils restent un moment silencieux, pendant qu'Olivier entreprend de faire des cafés.

— On va faire nos affaires. On n'est pas obligés de les fréquenter.

— J'espère ben, réplique Olivier.

— Essayons de prendre ça du bon côté, dit Ingrid.

— Il y en a un?

— Arrête là, Olivier. On n'y peut rien.

— Je sais ben. On pourrait retourner à Granby.

— Pas question. On va prendre la chaloupe pour aller sur l'île en face. Paraît qu'il y a une petite plage et une place pour faire un feu. On pourrait passer quelques heures là-bas.

— OK. Ça a l'air le fun, répond Olivier, enfin ouvert.

❧

Ils ont bien essayé de retourner au lit, mais impossible de dormir avec tous les bruits des voisins : la porte-moustiquaire qui claque chaque fois que quelqu'un entre ou sort, le ballon que les garçons font rebondir sur le mur arrière du chalet et les cris de tous. À force d'entendre les parents réprimander les deux garçons, ils savent maintenant les noms de tout le monde.

— Maxime, Édouard, arrêtez de crier comme des perdus. Vous allez encore réveiller Mélina!

— Sophie, le bébé a quelque chose dans la bouche. Enlève-lui avant qu'elle s'étouffe.

— Robert, dis aux garçons de se calmer. Ils vont me rendre folle.

Et quand ils pensaient enfin avoir une accalmie, les garçons ayant trouvé un jeu plus silencieux et la petite s'étant probablement endormie, les parents ont commencé à se chamailler. Le mur mitoyen entre les deux chambres à coucher est si mince qu'Ingrid et Olivier entendent tout ce qui se dit.

— Ça allait bien quand on avait seulement les garçons. Pourquoi il fallait absolument en prendre un autre? se lamente la mère.

— C'est toi-même qui voulais une grosse famille, rétorque le père.

— Oui, mais graduellement, pas trois en deux ans.

— Tu vas pas encore m'accuser de ça, soupire le père.

— Je t'accuse pas, se défend la mère.

— Oh non?

Ingrid se redresse subitement. Quelque chose dans cet échange lui rappelle trop certaines conversations qu'ils ont eues, elle et Olivier. Ce dernier la retient.

— Attends, c'est drôle, lui chuchote-t-il pour ne pas être entendu des voisins.

— Tu trouves ça amusant, toi? réplique Ingrid sur le même ton. Pas moi.

Elle se lève et se dirige vers la cuisine. Olivier la suit.

— *Come on*, Ingrid, c'est juste comique.

— Je trouve pas. Des dialogues de sourds comme ça, moi… Ça t'a pas fait penser à quelqu'un?

— Non, qui? demande Olivier, sincèrement.

— Laisse faire, enchaîne Ingrid, qui choisit de changer immédiatement de sujet, car elle n'est pas prête à aborder ce qui la tracasse tant. J'avais pensé faire des crêpes. Ça te va?

— Oui. J'ai vu une grosse talle de framboises, hier. Je vais aller en cueillir.

— OK.

Ils ont déjeuné en discutant du dernier contrat d'Olivier, ont salué poliment les voisins et sont partis pour leur escapade sur l'île. En plein milieu du lac, Olivier a arrêté le moteur de la chaloupe.

Ils ont plongé dans l'eau fraîche et ont eu l'impression de remettre les compteurs de cette journée à zéro. Le coin décrit par l'ami d'Ingrid tient ses promesses. Ils étendent leurs serviettes. Ingrid met le panier de collations à l'ombre et Oli plante le parasol dans le sable de la plage. Ils s'étendent enfin et soupirent tous les deux de satisfaction. Leur «Ahhhhh» en simultané les fait rigoler. Oli ferme les yeux, visiblement prêt à poursuivre sa nuit écourtée.

De son côté, Ingrid se sent un peu fébrile parce qu'elle souhaite avoir «la» conversation avec son chum. Pas question d'attendre au souper comme elle l'avait prévu. La présence de la famille dans l'autre chalet risque de tout faire rater. C'est maintenant. Elle a passé et repassé cet échange mille fois dans sa tête, mais là elle ne sait plus trop par quel bout commencer. Elle ne veut pas le braquer, mais elle souhaite entrer rapidement dans le vif du sujet.

— Oli...

— Hum?

— Je pense qu'on est rendus à parler de ce qui est super présent entre nous. Je suis tannée de faire semblant que tout est correct.

— Bon... Tu veux qu'on se quitte, c'est ça? C'est toi, la coupable, pis c'est toi qui...

— Oli, arrête! Je veux pas qu'on se laisse, au contraire! Pis ta réponse montre exactement notre problème.

— Quel problème?

— Celle-là aussi. Tu veux faire comme si tout allait bien, mais tu te plains tout le temps, mine de rien. Tu me fais toujours sentir coupable. Tu veux te venger, parce que c'est pas vrai que tu m'as pardonné.

S'ensuit un long silence. Ingrid connaît son homme, elle le laisse réfléchir, ne l'interrompt pas pour ne pas briser le moment qu'elle sent venir, le moment de vérité, enfin.

— T'as raison. J'arrive pas à passer par-dessus, on dirait.

— Je comprends.

— C'est une grosse affaire, tu sais. Tu m'as trompé, Ingrid, dit Olivier.

— Je sais, Oli. Pis tu sais aussi à quel point je le regrette. Ça faisait pas longtemps que j'avais fait ma deuxième fausse couche, j'étais… déroutée.

— C'est tellement *tough* de t'imaginer… reprend-il.

— Va pas là, Oli. C'est malsain.

— Je le sais, mais c'est plus fort que moi.

— Il va falloir que tu prennes une décision.

— Moi ? demande Olivier.

— Oui. Soit tu passes vraiment par-dessus pis on reprend notre vie, soit tu y arrives pas et il va falloir se quitter.

— Je le savais !

— Non, c'est la dernière chose que je veux. Mon souhait à moi, c'est qu'on vive ensemble jusqu'à cent ans. Mais pas en me sentant *cheap* à chaque instant. J'y arriverai pas. Même si je t'aime plus que tout au monde.

Olivier réfléchit un moment.

— T'as raison… Tu sais ce qui m'aiderait ?

— Non, vas-y.

— Que toi aussi tu mettes quelque chose derrière toi.

— Quoi ? demande Ingrid, surprise.

— Tu dis que tu veux pas d'enfant, que tu passeras pas à travers une autre fausse couche. Mais, toi non plus, t'es pas passée par-dessus. T'es en colère.

— Moi ? fait Ingrid d'une toute petite voix.

— Tu en veux à notre couple de ne pas pouvoir avoir d'enfant.

Ingrid réfléchit à ce qu'Olivier vient de lui dire. Il n'a peut-être pas tort. Depuis des mois, elle repousse ces pensées chaque fois qu'elles reviennent la hanter.

— Alors soit tu fais la paix avec l'idée de ne pas avoir d'enfant, soit on essaie encore, dit Olivier d'une voix assurée.

Ingrid est surprise qu'Olivier soit si perspicace. Elle-même ne voulait pas voir cette évidence. Mais il a totalement raison : elle n'a pas lâché prise, elle non plus.

— C'est vrai tout ce que tu dis, Oli, répond Ingrid, les yeux dans l'eau.

Olivier prend sa femme dans ses bras et la serre très fort contre lui.

— On va faire ce qu'on a à faire, tous les deux, et on va rester ensemble jusqu'à cent cinq ans. OK? murmure Olivier dans son oreille.

— OK, répond Ingrid, immensément soulagée.

Ils reviennent tard de leur escapade à l'île. Les enfants des voisins sont plus tranquilles et ils réussissent à se faire leur souper romantique sans être trop dérangés. Ils discutent ouvertement maintenant et conviennent tous les deux qu'ils n'ont pas eu cette complicité depuis très – trop! – longtemps. Et ils font l'amour avec passion et tendresse, comme ils ne l'ont pas fait depuis des mois. Ingrid sait que l'avenir s'annonce enfin heureux. Elle s'endort, comblée, dans les bras d'Olivier.

À trois heures du matin, ils se font encore réveiller. Cette fois, c'est le bébé qui pleure à chaudes larmes. Ils entendent les parents se chamailler.

— Je le sais pas ce qu'elle a. Le médecin non plus. Qu'est-ce que tu veux que je te dise! crie la mère de l'autre côté de la cloison.

— J'ai jamais vu un enfant pleurer de même. C'est pas normal, dit le père.

— Lundi, j'appelle la DPJ. On va la retourner. On est pas capables de s'occuper de trois flos. Tu vois ben!

— Pis l'argent qu'on reçoit grâce à elle?

— On trouvera un autre moyen.

Dans leur lit, Olivier et Ingrid se regardent, outrés.

— Ils parlent de cet enfant-là comme d'une marchandise, chuchote Olivier.

— Pauvre petite cocotte, répond Ingrid sur le même ton.

Le lendemain matin, Ingrid et Olivier prennent leur petit-déjeuner sur la galerie quand ils entendent les cris paniqués des deux garçons. Un moment plus tard, ils les voient passer en maillot de bain, en courant et en pleurant, la peau toute rouge. Les deux jeunes entrent dans le chalet pour rejoindre leurs parents. Le bruit a une fois de plus réveillé la fillette qui se joint au concert de cris de toute la famille. Le couple reprend son repas en essayant de ne pas se soucier de la pagaille des voisins. Mais, un moment plus tard, ils sortent tous. Le père emmène les garçons vers son véhicule alors que la mère vient vers eux avec le bébé dans un bras, un gros sac dans l'autre, fébrile.

— Bonjour. Les garçons se sont roulés dans l'herbe à puce, pis ils en ont partout, partout. Un des deux a de la misère à respirer, il doit être allergique. On s'en va à l'hôpital. Pourriez-vous garder Mélina quelques heures? Je peux pas l'emmener avec nous. Le médecin dit que, à cause de son système immunitaire un peu faible, il faut pas l'exposer à du monde malade. On s'entend-tu que l'hôpital c'est pas l'idéal?

— Euh… répond Ingrid, hésitante, je sais pas trop.

— S'il vous plaît, on va être revenus en début d'après-midi max, plaide-t-elle.

— Ça peut durer des heures, l'attente dans les hôpitaux, fait valoir Olivier.

— J'ai une amie qui est infirmière, on va passer vite. Je vous en supplie. Je suis vraiment inquiète pour les garçons.

Ingrid et Olivier se regardent.

— OK.

La femme met aussitôt le bébé dans les bras d'Ingrid et laisse le sac par terre.

— Oh, merci, merci. Tout est dans le sac. Les biberons, le lait, le jus. Elle mange comme nous, pis elle fait une sieste vers dix heures. Merci encore.

Elle tourne les talons et court rejoindre le reste de sa famille. Le gravier crisse sous les pneus de l'automobile qui démarre en trombe et qui disparaît en quelques secondes au tournant du chemin. Le bébé éclate en sanglots. Ingrid et Olivier se regardent, déconcertés. Mais pourquoi ont-ils accepté ça ?

La première heure, Mélina pleure sans arrêt. Ingrid et Olivier sont désemparés. Puis, en désespoir de cause, Ingrid propose d'aller au bord du lac. Pour une raison qu'ils ne comprendront jamais, l'enfant est à peine assise sur la plage, les vaguelettes léchant ses petits pieds, qu'elle change complètement. La matinée passe. Ils font une sieste dans les hamacs sous les arbres, Mélina blottie dans les bras d'Olivier. Puis ils préparent le repas ensemble et vont pique-niquer dans le bois. Le temps passe si vite qu'ils réalisent avec surprise qu'il est déjà seize heures et que les parents de la petite ne sont toujours pas de retour.

— Ils sont pas mal en retard, dit Ingrid.

— Son amie a pas pu les faire passer avant tout le monde, probablement.

— Peut-être qu'ils reviendront jamais et qu'on va pouvoir garder Mélina avec nous pour toujours, dit Ingrid, à moitié blagueuse.

— Ou on pourrait se sauver avec elle.

— Ils la veulent pas, de toute façon. Tu les as entendus comme moi.

Un long silence s'ensuit.

— Tu sais quoi, Oli…

— Quoi ?

— Ça me fait réaliser qu'on pourrait adopter. J'aurais pas à retomber enceinte, prendre une autre chance de faire une fausse couche, mais…

— Mais on pourrait devenir une famille quand même, complète Olivier.

— Exactement, confirme Ingrid.

— On va adopter un bébé ! dit Olivier, comme s'il venait d'avoir une révélation.

— Oui ! s'exclame Ingrid, fébrile à cette idée.

Ingrid et Olivier se regardent.

— On va adopter Mélina ! disent-ils d'une même voix.

Ils éclatent de rire. Mélina aussi rit.

À Granby, Buzzz-le-chat sent un petit courant électrique remonter du bout de sa queue, le long de son dos et jusque dans son cou. Il sait que c'est le signe que quelque chose va changer. Il ne sait pas quoi, mais du nouveau va bouleverser sa vie et celle de son Olivier. Il a le pressentiment que c'est pour le mieux et son instinct le trompe rarement. Il se lève et va se coucher avec félicité dans le rayon de soleil qui traverse la pièce, patient, confiant, zen.

Chapitre i

Le temps est magnifique et, malgré la canicule de juillet, Ingrid marche d'un bon pas en direction de la maison de ses parents. Elle soupe avec eux les vendredis soir, car Olivier est presque toujours pris dans ses évènements DuoBuzzz les week-ends. Une fois de plus, elle réalise à quel point sa vie a été complètement chamboulée par sa rencontre avec bébé Mélina, le mois dernier. Elle pense à la petite mille fois par jour et repasse sans cesse dans sa tête les moments magiques qu'ils ont passés ensemble au chalet, elle fait des plans d'avenir et imagine leur vie avec un enfant. Après cette journée, c'était devenu limpide pour Ingrid et Olivier qu'ils voulaient adopter Mélina. Quand les parents de la famille d'accueil sont venus la chercher, ils ont longuement discuté tous les quatre de cette possibilité. Ingrid et Olivier étaient excités à l'idée d'avoir enfin un enfant, mais aussi d'être emportés tous les deux, pour la première fois depuis longtemps, dans un projet commun. Bien sûr que ça ne serait pas simple, bien sûr que les parents de la famille d'accueil, Sophie et Robert, les ont avertis qu'il ne suffit pas d'un gros coup de cœur pour se faire confier un enfant. Mais ils étaient si enthousiastes, si convaincus que rien ne pourrait les arrêter.

Ingrid fait un saut à la boulangerie pour acheter une baguette comme sa mère le lui a demandé.

Toutes les fenêtres sont ouvertes dans la pièce, et la chaleur demeure accablante en ce début de soirée. Assise à la table, dans la salle à manger de ses parents, Ingrid termine son repas. Elle regarde Julie et William se chamailler en rigolant. Happée par ses pensées, Ingrid a un peu perdu le fil de la conversation. Ils semblent ne pas s'entendre sur une date quelconque. Julie éclate de rire. Comme elle aime voir sa mère légère, enfin, après des mois de reconstruction à la suite du drame qu'elle a vécu l'année dernière.

Son regard tombe sur une photo de la famille, prise il y a une dizaine d'années, quelques mois avant le décès de son frère Lambert. Ils sont tous là : Julie, William, Brian, Lambert, elle et Frédérick, dans cette même pièce, décorée un peu différemment à l'époque. La plus belle des familles. Incroyable toutes les tragédies que ses parents ont traversées depuis ce temps, des évènements terribles comme le décès de Lambert ou, plus récemment, le viol de Julie. Et ils sont encore ensemble, plus forts, plus amoureux et plus complices que jamais. Ingrid les admire et souhaite qu'elle et Olivier puissent être des parents comme eux. Ses pensées tournent sans cesse autour de la famille depuis qu'elle a connu Mélina. Olivier dirait que c'est une véritable obsession et, ma foi, il n'aurait pas complètement tort.

— Je me demandais... Des nouvelles du procès de Bradford ? demande-t-elle à sa mère.

— Non, ça traîne en longueur, répond Julie.

— Il va pas s'en sortir, hein ? demande Ingrid, inquiète.

— Non, pas du tout, assure William. Il en a agressé des femmes dans sa vie. En plus de ta mère, il y en a onze autres qui ont accepté de témoigner contre lui.

— Qu'ils le mettent dans un cachot et qu'ils perdent la clé. Gros dégueulasse! s'emporte Ingrid pour la ixième fois.

— Oui, bon, on change de sujet? suggère William.

Ingrid réalise qu'elle a manqué de délicatesse.

— Ben oui, certain. Excuse-moi, m'man, d'avoir parlé de ça.

— Excuse-toi pas. C'est pas un sujet tabou non plus, répond Julie avec douceur.

Ingrid s'empresse malgré tout de trouver un sujet plus agréable.

— J'ai décroché un bon contrat avec la chambre de commerce.

— Ah oui? Pour faire quoi? s'intéresse William.

— Des capsules sur leurs membres pour aider à faire mousser le *membership*.

— Bravo! la félicite Julie.

— C'est grand-papa qui m'a pistonnée.

— Tu l'as remercié, j'espère?

— Maman, j'ai plus cinq ans. C'est sûr que je l'ai remercié. Je lui ai même offert une bonne bouteille de vin.

Julie se lève.

— Qui veut du dessert? J'ai fait une pavlova.

Tous en demandent. La pavlova de Julie est irrésistible.

En marchant pour retourner au condo, Ingrid envoie un texto à Olivier.

> As-tu une idée de l'heure à laquelle tu vas revenir à la maison?

Elle a à peine fait quelques pas que la réponse d'Oli arrive.

> Tard. Ne m'attends pas.

Elle va l'attendre quand même, dans l'espoir d'avoir une conversation sur Mélina et ainsi savoir où il en est rendu dans ses réflexions. Parfois, quand il revient de travailler, ils passent une heure ou deux à discuter de tout et de rien à la faveur de la nuit.

Quand ils ont quitté le chalet après leur long échange avec Sophie et Robert, Ingrid et Olivier étaient électrisés par ce projet d'adopter Mélina. Ils en ont parlé tout le chemin du retour, ont fait des plans. Puis le travail et la vie ont repris le dessus et, quand Ingrid est revenue sur le sujet à la fin de semaine suivante, Olivier n'était plus sur la même longueur d'onde. Déconcertée, Ingrid l'a écouté lui faire part de ses nombreuses réserves. Tout cela allait trop vite. Il n'était pas certain que c'était une bonne idée de s'attacher à une enfant qu'on n'était pas sûr à cent pour cent d'accueillir. Réflexion faite, il trouvait que Mélina, à seize mois, était un peu trop âgée finalement. Et surtout, il n'avait pas du tout la certitude qu'il pourrait aimer une enfant qui n'était pas la sienne. Ingrid l'avait écouté, bouche bée, de plus en plus décontenancée et déçue. Voyant son désarroi, Olivier a promis d'y réfléchir. Malgré ce recul, Ingrid a continué d'avancer de son côté sans lui en parler. Elle a pris contact avec Sophie pour en apprendre un peu plus sur Mélina. Ce qu'elle n'a pas dit non plus à Olivier, c'est qu'elle a vu Sophie et Mélina plusieurs fois depuis. Mais, maintenant, un mois a passé et elle a besoin qu'Oli embarque dans le projet. Et ils doivent pouvoir en discuter sans qu'il l'accuse de lui mettre de la pression ou sans que ça se termine en dispute.

Ingrid travaille en attendant Oli. En lui voyant l'air à son retour lorsqu'il rentre à une heure du matin, elle sait qu'il n'y aura aucune discussion possible. Oli a son visage des mauvais jours.

— Hii, ça a pas l'air d'aller, toi ?

— T'aurais pas dû m'attendre. Je te l'ai texté pourtant, répond Olivier avec impatience.

— Je t'attendais pas, je travaillais, ment Ingrid.

Olivier se laisse tomber sur le canapé.

— Maudite soirée de marde.

Ingrid attend qu'il poursuive. Si elle répond maintenant, c'est elle qui va écoper de sa mauvaise humeur.

— Le gars est un *control freak*, t'as même pas idée. Il était pas si pire avant, pendant qu'on planifiait, mais, ce soir, je te jure... Il m'a tellement fait *rusher*.

— Ça, c'est poche, commente Ingrid.

— Ultra poche, confirme Olivier qui se lève. Bon, je m'en vais me coucher, moi.

— T'as pas envie de relaxer un peu avant ? Je peux nous faire une tisane.

— Non, je suis brûlé.

— OK.

— Bonne nuit, lance Oli.

— Je te suis, ça sera pas long.

Olivier disparaît dans la chambre à coucher. Le travail passe encore avant le reste. Elle devra attendre. Ingrid sent une pointe d'angoisse l'assaillir. Elle se sent déchirée entre lui laisser du temps et le presser de se décider. Et si le temps de réflexion d'Oli était tellement long qu'ils passaient à côté ? S'ils rataient leur chance d'avoir Mélina ?

Zachary regarde les deux jeunes hommes qui attendent sa réponse avec espoir. Ils lui rappellent lui-même à trente ans : fougueux, travaillants, enthousiastes, fonceurs. Mais il a soixante-dix-neuf ans et n'a plus la capacité de s'investir dans une telle aventure. Il va devoir leur dire qu'il ne pourra pas les accompagner dans le démarrage de leur entreprise. Toutefois, son orgueil est encore puissant et il n'a pas envie de les décevoir aujourd'hui, alors qu'ils viennent de lui faire un *pitch* impeccable.

— Faut que je réfléchisse, les gars. Je sais pas si c'est une bonne affaire de me demander ça à moi.

— Ce n'est pas une demande qu'on fait à la légère, monsieur Harrison. On y a pensé, dit l'un.

— On y a beaucoup pensé, insiste l'autre. Votre expertise est directement en lien avec notre projet.

— Je dois partir en voyage avec ma conjointe. J'aurai pas assez de temps…

— Mais vous allez y réfléchir ?

— Promis. En tout cas, merci pour votre confiance. Ça me touche.

Ils se serrent la main avec chaleur et Zachary sort, momentanément soulagé. Il leur écrira un courriel pour décliner, tiens. Ce sera plus facile pour tout le monde et moins déchirant pour lui.

L'alarme de son téléphone cellulaire sonne. Ah oui, il lunche avec William aujourd'hui. Il est fatigué de cette rencontre avec les jeunes entrepreneurs. Il regarde l'heure et constate qu'il a encore bien du temps avant d'aller rejoindre son fils. Il se dirige vers le parc et va s'asseoir sur un banc. Lui qui était si actif il n'y a pas si longtemps, le voilà qui se plaît de plus en plus à regarder la nature, les gens. Marthe dit qu'il devient zen en vieillissant.

❧

Frédérick, en sueur et à bout de souffle, quitte le terrain de basketball en saluant ses amis. Il a chaud, il s'est donné. Il n'est pas allé au gym depuis qu'il a commencé à jouer au basket, il y a presque six mois. C'est devenu son activité physique préférée. Il vient ici plusieurs fois par semaine et il y a toujours des joueurs avec lesquels il peut jouer. Frédérick va recommencer l'université dans quelques semaines. Ce sera relax, il a peu de cours, cette session-ci. L'année qui vient de passer a été beaucoup plus calme que la précédente. Il a réussi ses cours l'an passé, mais sa catastrophique première année l'a mis en retard. Il va finir son certificat en mai prochain, alors qu'il devrait déjà avoir terminé. Marie-Claude, de qui il s'était amouraché, a quitté Sherbrooke et ça l'a soulagé. Toute cette histoire est bel et bien derrière lui. Il se demande parfois comment il a pu tomber amoureux d'une femme tellement plus âgée que lui avec un mari et deux enfants.

Ingrid met le point final à un *pitch* qu'elle fera pour un producteur vinicole. Elle regarde autour d'elle la chambre d'amis dans laquelle elle a fait son bureau. Bientôt, si tout va comme elle l'espère, cette pièce deviendra la chambre de Mélina. Elle sait déjà comment elle va la décorer, en gris et jaune. Elle dîne avec Sophie ce midi. Si Oli savait ça… Elle va le rejoindre dans la salle à manger où il prend son petit-déjeuner.

— J'aimerais que tu ne reviennes pas trop tard ce soir, lui dit-elle.

— OK.

— On pourra pas repousser la conversation indéfiniment.

— Je le sais.

— Robert et Sophie ne veulent plus garder la petite chez eux. Ils ont rien fait encore parce qu'ils savent qu'on est intéressés, mais…

— Je sais tout ça, Ingrid, et je suis prêt à en discuter.

— J'ai pas envie qu'elle s'en aille dans une autre famille parce qu'on a trop tardé.

— Tu veux avoir la conversation ce soir ou maintenant? demande Olivier, de mauvaise foi.

— OK, j'arrête.

Ingrid arrive chez la famille d'accueil de Mélina avec un lunch qu'elle a pris en passant chez Ben la bedaine : Sophie adore ça. À cette heure, les garçons sont à l'école et Robert, au travail. Elles gardent toutes deux cette relation secrète. Olivier serait scandalisé de savoir qu'Ingrid fréquente la petite fille, alors qu'il n'est pas encore décidé. Quant à Robert, il a déjà exprimé son désaccord : pas question qu'Ingrid s'attache à Mélina tant qu'il n'y a rien de sûr pour l'avenir. Mais les deux filles s'entendent bien et ont l'impression d'agir sur leur destin en faisant ces rencontres.

Elles se font la bise et Sophie fait entrer Ingrid dans le petit logement.

— Je suis contente de te voir. Mélina est encore en train de faire sa sieste.

— Ça va nous donner le temps de manger, répond Ingrid.

Elle suit Sophie dans la cuisine, à l'autre extrémité du logement. Une fois de plus, elle constate avec une pointe de jugement le désordre qui règne. Et comme toujours, Sophie lui sert la même phrase.

— Regarde pas le ménage. J'en ai tellement plein les bras, j'ai pas eu le temps de me ramasser.

Ingrid sait maintenant que Sophie ne prend jamais le temps de mettre de l'ordre. À chacune de ses visites, c'est pareil. Il y a des jouets partout, on doit les enjamber pour se frayer un chemin dans le corridor. Il y a trois chambres à coucher, celle des parents, celle des garçons et celle de Mélina qui fait aussi office de salle de couture, parce que Sophie prend des contrats pour arrondir les fins de mois. Aucun lit n'est jamais fait et il y a des vêtements partout sur les meubles. En passant devant la salle de bains, elle remarque que des piles de vêtements attendent d'être lavés ou pliés. *Mais comment Sophie fait-elle pour vivre dans ce chaos ?* C'est un mystère pour Ingrid qui aime que son logis soit propre et bien rangé. Dans la cuisine, c'est à l'avenant. La vaisselle du petit-déjeuner n'est pas faite et des sacs d'épicerie encore pleins sont déposés sur les comptoirs. Maintenant familière,

Ingrid entreprend de dégager la table pour leur faire une place pour luncher.

— Pis? demande Sophie. Olivier s'est-tu décidé?

— Non pas encore. On se parle ce soir.

— Tu sais que ça commence à faire longtemps qu'on attend. De notre bord, ça fait un mois qu'on veut la retourner, dit Sophie avec une pointe d'impatience.

— Je sais, je te remercie tellement de nous attendre.

— On patientera pas un autre mois. Si vous vous décidez pas, on va avertir notre travailleuse sociale, pis elle va trouver quelqu'un super vite. Trois enfants, c'est trop pour nous, tu le sais ça.

— Donne-moi quelques jours encore.

— OK, OK, soupire Sophie.

La voix de Mélina qui vient de se réveiller se fait entendre. Ingrid tend l'oreille, ravie.

— Va la chercher, dit Sophie. Elle va être contente de te voir.

— Merci! dit Ingrid en stoppant tout pour aller dans la chambre de la petite.

Ingrid marche à grands pas dans le corridor et ouvre la porte de la chambre. Mélina est debout dans le lit à barreaux et son visage s'éclaire en la voyant.

— Groud… s'exclame-t-elle.

«Groud», c'est le surnom que Julie lui avait donné quand elle était enfant. C'est plus facile à dire que «Ingrid».

— Mélina, mon bébé… répond Ingrid en la prenant dans ses bras et en la collant contre elle.

Zachary arrive au Pub St-Ambroise au moment où William allait partir.

— Où tu t'en allais comme ça? demande Zachary, surpris.

— Te v'là! J'étais inquiet. Ça fait une heure que je t'attends.

— Hein? s'étonne Zachary.

— Pourquoi tu réponds pas à ton téléphone ?

— Oups, j'avais fermé la sonnerie pour pas être dérangé pendant mon rendez-vous, ce matin. J'ai oublié de la remettre, répond Zachary, penaud.

— On avait rendez-vous à midi, p'pa.

— On n'avait pas convenu treize heures ?

— Je t'ai appelé hier pour changer ça.

— Je suis désolé, je me suis mélangé, on dirait bien. As-tu encore du temps ?

— Ben oui.

Les deux hommes s'installent à une table. Zachary s'informe.

— Pis, ton nouveau roman ?

— Ça commence à prendre forme.

— Ça parle de quoi déjà ? demande Zachary

— Une saga historique.

— Ah oui… répond Zachary qui ne s'en souvient pas du tout. As-tu eu les chiffres de ventes de l'autre, celui que t'as lancé l'an passé ?

— Oui, un peu plus de 3000 exemplaires. Mon éditrice est contente.

— Pis quand est-ce que tu vas être payé ?

— P'pa… dit William, d'un ton las.

— Quoi ?

— Ça fait mille fois que je te le dis : un an après la parution.

— Ah oui, je sais pas pourquoi j'oublie tout le temps ça, répond Zachary légèrement. Peut-être parce que je trouve ça ben long pour être payé.

— Faut attendre que les libraires retournent les invendus. On va pas encore avoir cette conversation-là, dit William en soupirant.

— Ben non, ben non.

Leur repas arrive. Ça évite à Zachary de s'appesantir sur cet oubli.

— Vous en êtes où avec vos projets de voyage ? demande William.

— Marthe travaille là-dessus. Elle nous fait tout un itinéraire.

— Chanceux. J'aimerais ça voir la Croatie.

Zachary est fatigué, déjà. Cette conversation exige beaucoup d'effort de sa part. Une chance, William est en verve aujourd'hui. Il le laisse parler en hochant la tête.

Comme Sophie passe beaucoup de temps seule chez elle, quand Ingrid lui rend visite, elle parle sans arrêt. Ingrid a l'impression de recevoir un flot de paroles qui ne la concerne pas toujours. Sophie est gentille, amusante, mais elle manque de filtre.

— Ma belle-mère est tellement hystérique. L'autre jour, elle nous a raconté en long et en large sa dernière relation sexuelle ratée avec son nouveau chum. Veux-tu me dire en quoi j'ai besoin de savoir ça, moi?!

Du coup, Ingrid se demande en quoi elle-même a besoin d'entendre parler de la mère de Robert, mais elle se tait et sourit. Sophie prend le chiffon avec lequel elle vient d'essuyer le comptoir, le rince dans l'eau de vaisselle et vient essuyer le visage de Mélina. Ingrid se retient difficilement de réagir. *Ouache. Tais-toi, Ingrid.* Sophie est susceptible quand il s'agit des enfants, Ingrid l'a appris à ses dépens. La deuxième fois qu'elle est venue, au moment de mettre Mélina au lit pour sa sieste, elle avait remarqué que le drap contour du matelas était d'une propreté douteuse. Elle avait proposé à Sophie de le changer, mais cette dernière l'avait regardée froidement, se sentant jugée, et avait répliqué d'un ton agacé que la petite fille trouverait le sommeil malgré une tache sur son drap. Ingrid avait compris le message, mais elle n'avait pu s'empêcher de penser que Mélina serait tellement mieux avec elle.

Frédérick entre en coup de vent dans l'appart. Il se dépêche de prendre sa douche et de se changer. Il a rendez-vous avec ses amis. Il n'a fait que le quart de travail du midi, aujourd'hui. Fred a conservé le même emploi au resto italien de la rue King depuis son arrivée à Sherbrooke. Il est maintenant le serveur qui a le plus d'ancienneté et ça lui donne quelques privilèges, comme ne faire que quelques heures un vendredi. Ça fait presque un an qu'il vit avec ses trois colocs, devenus ses meilleurs amis. C'est ici chez lui, maintenant. Il a bien aménagé sa chambre, organisé son petit univers avec soin. La pièce est assez grande pour qu'il y ait installé sa table à dessin, qu'il a apportée de chez ses parents. Il devrait faire le ménage et laver les draps, mais bon, il n'a jamais été un maniaque de ménage. Il vient tout juste de finir de s'habiller quand un texto entre sur son téléphone. Un de ses colocs lui écrit.

Qu'est-ce que tu fais, dude ?
On t'attend !

Je quitte l'appart live.

Un coup de peigne, il empoigne son portefeuille, son cellulaire et part à grands pas.

À la porte du resto, Zachary et William se donnent l'accolade.

— Julie veut vous inviter à souper la semaine prochaine.

— Dis-lui d'organiser ça avec Marthe.

— OK. Bye, p'pa, dit William en quittant son père pour retourner chez lui à pied.

Zachary part dans l'autre direction vers son auto. Il s'arrête net. Mais où l'a-t-il stationnée ? C'est le vide dans sa tête. Une pointe de panique familière s'insinue en lui. *Dans le stationnement du bureau des deux jeunes sans doute.* Il n'en est pas certain du tout, mais décide tout de même de s'y rendre. Une fois sur place, il a vite fait le tour : pas de trace de son véhicule. Zachary s'exhorte au calme. Il se souvient qu'il est allé acheter deux conserves de tomates pour Marthe avant son rendez-vous du matin. Peut-être a-t-il laissé son auto dans le stationnement du supermarché. Il repart dans cette direction. Encore une fois pas de trace de son auto. Il a beau se concentrer, rien ne vient. Plutôt que de céder à la panique, il décide de marcher dans les rues aux alentours. Elle ne doit pas être bien loin.

La vaisselle du souper est faite et Ingrid est déjà assise sur le canapé. Olivier finit de ranger et elle trouve que ça lui prend un temps fou. Son mari a terminé sa réflexion au sujet de Mélina et c'est maintenant qu'elle va savoir où il en est. Jamais Ingrid ne s'est sentie aussi fébrile. Il vient la rejoindre et s'assoit en face d'elle dans un fauteuil du salon.

— J'ai beaucoup réfléchi à tout ça, Ingrid, comme tu le sais.

— Oui, répond Ingrid, pleine d'espoir. Et ?

— Et je suis d'accord pour aller de l'avant.

Ingrid s'envole presque de son fauteuil pour sauter dans les bras de son mari.

— Oh, Oli, je suis tellement heureuse.

— Tu le sais que ça sera pas facile, hein ?

— Évidemment. Mais je suis prête. Moi aussi, j'y ai beaucoup pensé. Je m'embarque pas dans ça à la légère.

Ils se regardent avec amour.

— J'avais tellement peur que tu veuilles pas.

— Je sais. Mais j'avais besoin de prendre cette décision-là pour moi, pas seulement pour te faire plaisir, répond Olivier.

— Je comprends. C'est ça qu'il fallait que tu fasses, je le sais bien, mais maudit que t'as fait ça long.

— Ça va jamais assez vite avec toi, se moque Oli.

— Je sais, je sais.

— C'est quoi, la première étape?

— Je vais appeler pour déposer notre candidature. Ensuite, on va être convoqués pour une entrevue de présélection.

— Ouain, tu sais où on s'en va, ma belle blonde.

— J'ai eu en masse le temps de me renseigner, mettons, répond Ingrid avec un sourire.

Fred repère rapidement ses trois colocs sur la terrasse bondée. Alexis est debout et, comme d'habitude, parle à la vitesse grand V et fait rire ses amis. Les gens autour rient également. Alexis est petit, énergique et combat sa gêne en faisait le pitre. Hadib, un grand maigre au regard intense, brillant, maniant l'ironie avec adresse, est devenu le meilleur ami de Fred. Et finalement, la belle Sara, athlétique, blonde comme les blés, humaine, droite et intègre. Sara partage parfois le lit de Fred, mais aucun sentiment amoureux ne les unit : des amis avec bénéfices. Ils sont tous les quatre célibataires et leur quatuor est tissé serré. Fred se laisse tomber sur la chaise gardée libre pour lui.

— Salut, les colocs!

— Tu devrais nous embrasser les pieds d'avoir gardé une place pour toi, *dude,* lui lance Alexis.

— Un beau merci, ça fait-tu pareil? lui répond Fred.

La conversation se poursuit, ponctuée par les éclats de rire des quatre amis. À l'entrée, Carlos, l'ami colombien de Fred, fait de grands signes. Fred va le rejoindre.

— Hey, on se voit plus, se plaint Carlos en donnant l'accolade à Fred.

— Je sais ben.

— Tu viens plus au gym. T'as arrêté de t'entraîner?

— Je joue au basket, maintenant.

Trois filles et un gars, eux aussi d'origine colombienne, viennent rejoindre Carlos qui fait les présentations.

— Camilla, Larissa, Maria et Odin, je vous présente Frédérick.

Tout le monde se salue. En attendant d'être placées, les trois filles s'éloignent un peu et discutent joyeusement en espagnol. Le regard de Frédérick est attiré par Maria. Cette dernière a une beauté singulière qui le fascine : de grands yeux très sombres, un nez aquilin qui lui donne du caractère et une bouche charnue maquillée en rouge vermillon. Maria n'est pas une beauté classique, mais elle a du panache.

— Allons boire une bière ensemble bientôt, dit Carlos.

— Promis, s'engage Fred.

Après un dernier regard en direction de Maria qui n'a visiblement aucune conscience de l'effet qu'elle provoque chez Frédérick, ce dernier retourne auprès de ses amis. Aucune table ne se libérant sur la terrasse, Carlos et ses amis prennent place à l'intérieur de l'établissement, ce qui évite à Fred de continuer à regarder chaque minute en direction de Maria.

Zachary a marché pendant plus de deux heures avant de tomber par hasard sur son véhicule. En le voyant, il en aurait pleuré de soulagement. Il s'assoit au volant, le cœur battant, épuisé physiquement et mentalement. Pendant un moment, il ne sait trop quoi faire. Puis ça lui revient : il doit mettre la clé dans l'ignition, bien sûr. Il démarre le moteur et reste immobile un instant dans l'espoir de reprendre contenance. Mais l'angoisse l'étreint encore. Il se sent affreusement vulnérable. Il réalise qu'il ne pourra plus garder ça pour lui, qu'il va devoir se résigner à en parler à Marthe et à William aussi et que, bientôt, toute la famille sera au courant. Il se laisse aller contre l'appuie-tête, accablé, ayant l'impression que, cette fois, c'est vraiment le début de la fin.

Ingrid ouvre la porte à Marie-Pier et elles se serrent aussitôt dans leurs bras.

— Je me suis tellement ennuyée! dit Ingrid.

— Et moi donc, réplique Marie-Pier.

— On fait plus ça. Il faut se voir plus souvent.

— On se parle au téléphone, quand même.

— Oui, mais c'est pas pareil, objecte Ingrid.

— Tu veux jamais venir à Montréal, rétorque Marie-Pier.

— T'as raison. Je te promets de me forcer.

— Es-tu prête? Autant y aller tout de suite. Si on arrive trop tard, les meilleures affaires vont être parties.

— Oui, chef! répond Ingrid en attrapant son sac à main.

Comme chaque année, les filles font «les ventes-débarras et bric-à-brac». Dans tout Granby, les gens mettent leurs vieilleries en vente et il y a souvent des trésors. Elles sortent du condo.

— J'ai tellement de choses à te raconter! lance Ingrid en refermant la porte derrière elles.

Ingrid et Marie-Pier se promènent dans les rues résidentielles. Ingrid a mis la main sur une lampe toute mignonne pour la future chambre de Mélina.

— On a déjà eu notre entrevue de présélection.

— Wow, ça n'a pas niaisé, commente Marie-Pier.

— Non. C'est parce qu'on souhaite avoir un bébé spécifique et que la famille d'accueil qui a Mélina en ce moment a déjà averti qu'elle ne veut plus l'avoir, que c'est trop pour elle avec les deux autres.

— Pis ça s'est bien passé, votre rencontre?

— Oui, mais on n'avait pas vraiment peur que ça se passe mal. Celle-là, c'est juste pour que rien de majeur ne nous empêche de l'avoir. On va pouvoir passer à la prochaine étape, maintenant.

Marie-Pier donne un coup de coude à Ingrid.

— Regarde qui est là, chuchote-t-elle.

Ingrid tourne la tête et aperçoit Alicia, la blonde de Geoffroy, avec sa fillette Romy dans une poussette. Alicia qui a fait de la prison pour avoir jadis agressé Ingrid et ensuite Olivier.

— C'est correct, dit Ingrid.

— Ah oui ? s'étonne Marie-Pier

— J'ai fait la paix avec ça. C'est pas mon amie, mais j'ai fini de lui en vouloir.

— T'es rendue zen, Ingrid Harrison.

— Pas loin, répond Ingrid en souriant.

Elles arrivent à la hauteur d'Alicia.

— Allô, Alicia, dit Ingrid.

— Allô, Ingrid, allô, Marie-Pier. En visite à Granby ? demande gentiment Alicia.

— Je peux juste pas manquer les ventes-débarras, dit Marie-Pier.

— On n'en a jamais sauté une depuis qu'on est hautes de même, confirme Ingrid.

— Allez, je continue, moi. Je vous souhaite une bonne journée.

— À toi aussi, répondent les deux filles.

Elles poursuivent leur chemin, chacune de leur côté.

Ingrid et Marie-Pier sont attablées au MacIntosh. La récolte de bric-à-brac a été décevante, mais le plaisir des deux amies à être ensemble est entier.

— On n'a même pas regardé sa fille. Penses-tu que ça lui a fait de la peine ? demande Marie-Pier.

— Je sais pas.

— Elle a dû nous trouver ordinaires.

— Bof.

— Oups, t'as plus l'air aussi zen tout à coup.

— Les histoires du passé, elle a fait de la prison pour ça. Et c'est derrière moi. Mais c'est sûr que le fait qu'elle vive dans la maison qu'on devait habiter, Oli et moi…

— Oui, mais c'est toi qui as pas voulu.

— Je sais, à cause de mes deux fausses couches, alors qu'elle…

Ingrid soupire et se secoue. Pas question de revenir là-dessus. C'est derrière elle maintenant et elle est engagée envers Mélina.

— Mais toi? demande-t-elle à Marie-Pier. Raconte-moi ta vie de citadine!

CHAPITRE 2

Si Ingrid et Olivier n'étaient pas convaincus d'avoir Mélina, cette session de sensibilisation les aurait complètement découragés. Ici, aucune information n'est embellie, les travailleuses sociales dépeignent la réalité de la banque mixte dans son éclairage le plus cru. En sortant, ils entendent quelques couples se dire qu'ils n'embarqueront jamais dans une galère pareille. Ingrid et Oli glissent leur main l'une dans l'autre et se regardent sans parler, n'osant pas faire allusion à leur chance de pouvoir avoir un enfant si rapidement, autour de ces gens qui viennent de vivre ce « *reality check* ». Bien qu'ils sachent qu'il y a un petit risque, petit mais bien réel, qu'ils doivent faire face au retour des parents de Mélina, ils ont confiance. La petite est avec sa famille d'accueil actuelle depuis un bon moment déjà, sans que les parents naturels aient manifesté l'intention de revenir. Ils rentrent chez eux à pied, silencieux, chacun dans ses pensées.

Zachary est assis au bord du lit. Il se secoue. Depuis combien de temps est-il là ? Il ne le sait trop. Marthe est déjà levée, il l'entend dans la cuisine. Il n'y a pas si longtemps, il se serait convaincu qu'il s'était perdu dans ses pensées, mais maintenant il ne peut plus se le faire croire. Comme une bonne demi-douzaine de fois depuis quelques semaines, il se dit que c'est aujourd'hui qu'il parlera à Marthe. Il a fait une liste des choses qu'il souhaite lui dire, avec un ordre pour ne pas lui livrer ça n'importe comment. Où est cette liste? Il ouvre la table de chevet et fouille. En vain. Il se souvient qu'il ne l'a pas mise là, parce que Marthe vient chaque semaine déposer ses mouchoirs de coton propres dans ce tiroir et qu'il ne voulait pas qu'elle tombe sur ce papier par inadvertance. Il se lève, va à sa penderie et regarde ses chemises et pantalons bien alignés sur des cintres. *Où j'ai mis ce papier-là?*

— Zachary!

— J'arrive!

Tant pis pour la note. Il sort de la pièce et se dirige vers la cuisine en tentant de se souvenir des quatre ou cinq points qu'il doit aborder. Mais ses idées le fuient. Comme d'habitude, la table est mise, le jus d'orange est servi et Marthe l'accueille, souriante.

— Bien dormi, mon gros lion?

— Comme un roi, répond Zachary, se forçant pour avoir l'air enjoué.

— J'ai fait du gruau ce matin.

— C'est parfait.

Zachary regarde sa douce s'affairer. Elle bouge lentement, consciente à chaque instant, il le sait, de ses articulations douloureuses. Elle les sert et s'assoit face à lui.

— Bon appétit.

— À toi aussi, Marthe.

Il prend quelques bouchées de son gruau et se décide.

— Marthe…

— Oui? fit-elle, en levant les yeux vers lui.

Il la regarde, la trouve belle et sereine. Il va tout briser avec ce qu'il a à lui dire.

— Qu'est-ce qui se passe ?

— Rien, ma douce. On va parler de ça tantôt…

— Si tu veux me parler de l'achat du mélangeur…

Zachary saute sur l'occasion.

— Oui, c'est ça, on réglera ça après le déjeuner.

— C'est déjà réglé. Je suis allée le porter chez quelqu'un qui va le réparer. Pas nécessaire d'en acheter un neuf.

— Tant mieux, tant mieux…

Zachary se sent temporairement soulagé. Mais très vite, il regrette d'avoir encore reculé. La perspective de cette conversation l'angoisse, mais le fait de ne pas la provoquer l'oppresse tout autant. Ils mangent en silence. Zachary se dit que ce serait le bon moment pour parler à Marthe. Il a beau fouiller dans sa tête, il n'arrive pas à se souvenir de quoi il doit lui parler. C'est très important pourtant, ça, il le sait.

— Ça va, Zachary ? Tu as l'air soucieux.

— Non, non, ça va bien.

— Tu regrettes de ne pas être du voyage de pêche avec les autres, le mois prochain ?

— Non, pas du tout, répond Zachary avec assurance. *Quel voyage de pêche ?* se demande-t-il avec une pointe d'angoisse. Il n'a aucun souvenir de ça non plus.

Frédérick sort de l'université. Il se rend compte qu'il aura beaucoup de temps libre avec ses deux cours. Il entend sa mère d'ici : «*Demande plus d'heures à ton patron au resto. Profites-en pour mettre un peu d'argent de côté.*» Cette obsession de vouloir accumuler de l'argent. Il n'a aucune envie de travailler davantage et n'a aucun intérêt à empiler du fric. Avec l'aide mensuelle de ses parents, son salaire actuel, il gagne juste assez pour payer son loyer et ses dépenses et c'est parfait comme ça. Mais il va s'ennuyer avec si peu de cours et d'études. Le bruit familier d'un texto entrant se fait entendre sur son téléphone. Il le sort de sa poche et lit le message de Carlos.

> Grosse soirée salsa vendredi.
> Tu viens avec nous ?

Mets-en !

> Bar Palomino vendredi 22 h.

Compte sur moi.

Requinqué par cette invitation, il marche d'un pas joyeux jusqu'à l'appart.

Assise dans la cuisine bordélique de Sophie, alors que Mélina s'est endormie dans ses bras, Ingrid ressent le besoin de se confier. Elle raconte à Sophie comment Olivier, secoué comme elle le soir de la rencontre de sensibilisation, n'a pas eu l'air si bouleversé dans les jours qui ont suivi. « On le savait que ça serait pas rose. » Malgré tout, ces informations et ces mises en garde ont donné un coup à Ingrid. Elle ne veut pas qu'Olivier croie qu'elle veut renoncer au projet, mais elle a besoin de partager ses craintes.

— Pour vrai, les sessions de sensibilisation, ça devrait s'appeler des sessions de démotivation.

— C'est fait pour éliminer le monde pas sérieux.

— Ben moi, je suis très sérieuse et je suis sortie de là déprimée raide.

— La moitié du monde abandonne après cette rencontre-là.

— Je comprends donc. Mais, quand même, ça m'a fait peur.

— Quoi exactement ? demande Sophie.

— Si les parents naturels voulaient la reprendre ?

— Ils sont plus ensemble depuis longtemps. Pis je te l'ai dit, sa mère est héroïnomane.

— C'est affreux, laisse tomber Ingrid.

— Elle est tellement gelée tout le temps que je suis même pas certaine qu'elle s'en rend compte.

— Mais elle n'a pas encore signé le consentement d'abandon.

— Non, c'est vrai, mais je m'en ferais pas avec elle, si j'étais toi, la rassure Sophie.

— Pis le père ?

— Sur la dérape, lui aussi. Bon, on va réveiller Mélina. Faut qu'elle mange.

— Laissons-la dormir encore un peu.

— Quand elle sera chez vous, tu feras ce que tu veux, mais ici ça marche à ma manière, OK ? rétorque Sophie, sans agressivité mais directe comme toujours.

— D'accord, répond Ingrid, agacée par la fermeture de la jeune femme.

William est en file pour payer à la pharmacie. *Qu'est-ce qui se passe ce matin pour qu'il y ait tant de monde ?* Une septuagénaire vient se placer derrière lui. C'est madame Fortin, il la reconnaît. Pourvu qu'elle ne le reconnaisse pas et qu'elle…

— C'est le beau William, ça !

William se tourne et fait mine d'être surpris.

— Ah, bonjour, madame Fortin. Ça va bien ?

— En grande forme. Des petits bobos ici et là, mais c'est ça vieillir, hein ? Écris-tu encore des livres ?

— Oui, oui.

— Ah bon, tant mieux. Moi, je travaille maintenant à temps partiel à la bibliothèque.

— Ah bon ?

— C'était trop pour moi, la clinique médicale. En plus, voir des gens malades tous les jours, ça commençait à me déprimer.

— Je comprends, répond William machinalement.

Madame Fortin regarde autour d'elle et baisse le ton.

— Comment va ton papa ?

William ne comprend pas pourquoi ce ton de confidence. Il réplique avec circonspection.

— Bien.

— Ça se dégrade pas trop ?

William est alerté par cette question. Il ne comprend pas de quoi elle parle, mais ne veut pas le lui laisser voir.

— Non, non.

— L'Alzheimer, on sait jamais à quelle vitesse ça se développe, hein ?

— Ben non, dit William, abasourdi par cette réponse.

La caissière lui fait signe que c'est à son tour. William s'excuse auprès de la commère et paie ses achats, totalement déconcentré. Quelle est cette histoire d'Alzheimer ? Cette bonne femme est un peu folle, non ? Mais l'angoisse l'étreint malgré tout.

Il y a foule au Palomino. On dirait que tous les jeunes adultes latinos de Sherbrooke se sont donné rendez-vous ici ce soir. Bière à la main, Fred quitte le bar et se fraie un chemin jusqu'à la table de Carlos et de ses amis. Il salue tout le monde et s'assoit avec eux.

— Je suis content que tu sois venu, Fred ! dit Carlos.

— Moi aussi ! Il y a tellement de monde, c'est malade !

— C'est comme ça tous les vendredis.

Maria n'est pas là comme il l'avait espéré. Il réprime sa déception. Les conversations se font difficiles avec la musique qui joue très fort. Le plancher de danse fourmille de danseurs. Et soudain, il la voit. Elle porte une robe rose très pâle qui met sa peau hâlée en valeur. Contrairement à la première fois où il l'a vue, ses cheveux ne sont pas attachés en queue-de-cheval mais sont libres sur ses épaules. Et elle danse de manière tellement sensuelle… Fred se demande s'il est le seul à trouver ça. Il ne peut détacher son regard. Carlos a observé son ami.

— Belle fille, hein?

— Mets-en, répond Frédérick.

— Elle est au Québec depuis quelques mois seulement.

— Ah oui?

— Elle a fait une demande d'asile.

— Ah, ouain?

— Ça chauffe pas mal pour elle en Colombie.

La chanson se termine et une autre recommence. Maria en profite pour revenir à la table. Elle salue Fred et s'assoit à côté de lui. La conversation s'engage aisément.

Maria parle étonnamment bien français.

— J'ai commencé à apprendre avant de quitter la Colombie. Je veux vraiment m'intégrer rapidement.

— Moi, j'ai aucun don pour les langues. Je suis vraiment poche.

— Poche? répète Maria qui ne comprend pas ce mot.

— Je suis nul.

— C'est parce que tu n'as personne pour t'exercer.

— Tu pourrais m'aider, toi.

— Peut-être, répond Maria dans un sourire.

Elle se lève et prend Fred par la main.

— Allons danser.

— Non, non, je danse mal, j'aime pas ça…

— *Vamos! No seas tímido*[1].

Frédérick se laisse entraîner. Guidé par Maria, il a bientôt l'impression de danser comme un dieu.

En attendant que Julie revienne de son souper mensuel avec ses amies Hélène et Réjanne, William n'a pas arrêté de réfléchir à ce que la bonne femme Fortin lui a dit. Et plus il y pense, plus ça a du sens. Puis, il se raisonne et trouve que cette histoire est une

---

1. Viens! Ne sois pas gêné.

fabulation. Julie a à peine eu le temps de rentrer qu'il l'assaille avec cette nouvelle. Elle est tout aussi surprise que lui.

— Ton père aurait l'Alzheimer et il en aurait pas parlé ? Ça se peut pas, voyons.

— Non, hein ? réplique William qui voudrait bien la croire.

— Il aurait eu son diagnostic quand ?

— Je le sais pas. Je le lui ai pas demandé. Elle aurait vu que je savais rien.

— C'est une mémère de compétition, cette femme-là. Peut-être qu'elle a dit n'importe quoi aussi.

— Peut-être.

Le couple réfléchit un moment en silence.

— Peut-être pas non plus. Trouves-tu que mon père oublie des affaires, toi ?

— Euh… je sais pas. Ça fait un moment que je l'ai vu.

— Il se souvenait plus de l'heure de notre rendez-vous, la dernière fois. Et on s'était parlé le matin même.

— Ça veut rien dire, rétorque Julie. Nous aussi, on oublie plein d'affaires, pis on n'est pas Alzheimer pour autant.

William ne sait plus que penser.

— Ça m'inquiète pareil.

— Parle-lui-en.

— Ben oui, il va bien me recevoir, d'abord.

— As-tu une autre idée pour en avoir le cœur net ?

Fred et Carlos marchent dans les longs couloirs de l'université.

— Je me suis couché à cinq heures du mat, le soir du Palomino, avoue Frédérick.

— Oh, oh ! Mariaaaaaa ! se moque Carlos avec un clin d'œil égrillard.

— On a juste jasé. On a fini la soirée dans un *after hours*. Elle est vraiment *cool*, cette fille.

— Tu le sais qu'elle attend sa réponse d'Immigration Canada, hein ?

— Oui, elle m'a raconté.

— Sa vie là-bas, en Colombie, c'est pas facile.

— Je sais. Elle est née dans les montagnes, pas très loin de Medellin. Sa famille est en danger et elle rêve de venir au Québec depuis qu'elle est toute petite. On a parlé toute la nuit, l'autre fois, ça fait que je sais pas mal d'affaires sur elle.

— Son père et son oncle ont été tués devant elle quand elle avait dix ans.

— Elle m'a pas dit ça, par contre. C'est donc ben *heavy,* répond Fred.

— Oui. Pis quand elle est partie, ses frères étaient recherchés par la milice.

— Quand t'entends des histoires comme ça, tu te rends compte à quel point on l'a facile ici, dit Frédérick.

❧

Ingrid et Julie marchent d'un bon pas sur les sentiers de la montagne de Bromont.

— On a eu notre rendez-vous pour notre évaluation psychosociale.

— Bonne affaire. Ça avance bien, votre dossier. C'est pour quand ?

— Après-demain.

— Je pensais que ça serait beaucoup plus long.

— C'est plus rapide parce que Mélina doit quitter sa famille d'accueil actuelle.

— Tant mieux.

Elles montent une côte en silence. Julie remarque le visage inquiet de sa fille.

— Si tout roule, pourquoi t'as l'air soucieux comme ça ?

— Parce que ça me stresse, rétorque Ingrid.

— T'as pas de raison.

— Je suis pas certaine qu'on devrait tout dire.

— Qu'est-ce que tu veux leur cacher? Pas la dépression d'Olivier?

— Non, ça, on pourrait pas. Ils demandent nos dossiers médicaux.

— Quoi alors?

— Une autre affaire…

— OK, répond Julie, respectant la discrétion de sa fille. Est-ce que tu me parles de ça pour avoir mon avis?

— Ouain.

— Il me semble que la vérité est toujours la meilleure option.

— Dit celle qui nous a caché son agression pendant des mois, réplique Ingrid spontanément.

— Touché.

— Excuse-moi, m'man, c'est vraiment poche ce que je viens de dire là.

— Je tiens à te dire que ça m'a servi de leçon. Je referais plus les choses de la même manière. C'est quand j'ai commencé à en parler que je suis remontée.

— C'est pas du tout du même ordre, de toute façon.

— Olivier, il en pense quoi?

— Il est de mon avis. On a peur que ça nuise à notre dossier.

— Ça va être pire s'ils l'apprennent plus tard ou autrement, tu ne crois pas?

— Ils ne pourront pas. Impossible.

— OK, alors.

Elles arrivent à un belvédère et admirent un moment la vue spectaculaire qui se déploie devant elles.

— Je ne me tannerai jamais de cette vue-là, soupire Julie.

— Ça va être encore plus beau dans deux ou trois semaines quand les couleurs vont sortir.

— C'est magnifique en toutes saisons, je trouve, dit Julie. J'ai apporté des barres tendres. T'en veux une?

Elles s'assoient à une table. Julie tend une barre à sa fille et en prend une pour elle-même.

— Quand est-ce qu'on va pouvoir la prendre dans nos bras, cette p'tite merveille-là?

— Quand elle va être rendue chez nous.

— Mais tu la vois, toi, non? Tu pourrais venir nous la montrer...

— Je ne veux pas tenter le diable, la présenter à tout le monde et être refusée ensuite.

— Sois pas si négative. Pourquoi ils refuseraient? Vous êtes un couple formidable, équilibré. Vous vous aimez, vous êtes ensemble depuis des années...

— Je trouve qu'on n'a pas été trop, trop chanceux dernièrement. Je préfère être prudente.

Julie et William roulent en direction de chez Zachary et Marthe. Ils ont convenu que William parlerait à son père, pendant que Julie resterait avec Marthe. Ils se sont annoncés en disant qu'ils faisaient des courses pas loin et qu'ils arrêteraient en passant. Plus il y pense et plus William se dit que c'est impossible que son père lui ait caché une information aussi importante à propos de sa santé.

— Peut-être qu'on fait tout ça pour rien.

— Peut-être, acquiesce Julie qui se veut rassurante.

Il a beau avoir cinquante-cinq ans, William est encore impressionné par son père. Zachary est un homme imposant, parfois colérique, et l'affronter demande un certain courage. Ça fait des jours qu'il pense à la manière idéale de lui parler. Il a une stratégie, mais il a l'intuition que ça se passera différemment quand il sera face à son paternel. Comme chaque fois.

William s'assoit sur le divan pendant que Zachary s'installe dans son fauteuil préféré dans le coin de la pièce.

— Comment ça va? commence William.

— Bien, bien. Toi?

— Pas trop mal.

— P'pa, je pensais à ça…

— Oui?

— Si t'avais des problèmes de santé, tu me le dirais, hein?

William sent son père déjà sur la défensive.

— Qu'est-ce que tu me chantes là?

— Je veux savoir si tu me caches quelque chose.

— C'est quoi, cette histoire-là? Pourquoi tu me demandes ça?

— Choque-toi pas.

— Je suis pas fâché, réplique Zachary d'un ton qui dément ses paroles. Mais je comprends pas ce que tu insinues.

William regarde son père et comprend que madame Fortin a dit vrai. Il n'a plus aucun doute, maintenant. Zachary n'est pas en colère, il a peur.

— P'pa, je t'accuse de rien voyons. Parlons-nous calmement, OK?

— Dis ce que t'as à dire, rétorque Zachary d'un ton sec.

William n'est pas dupe de cette attitude de défi. Il ressent une compassion immense envers son père et sait que, dès qu'il aura prononcé la prochaine phrase, rien ne sera plus jamais pareil.

— J'ai rencontré quelqu'un qui m'a demandé des nouvelles de ta santé.

— Qui ça?

— Peu importe. Papa…

Zachary s'affaisse dans son fauteuil et baisse la tête, comme s'il n'avait plus aucune envie de se battre.

— Tu as eu un diagnostic d'Alzheimer, hein? fait William d'une voix douce.

Zachary acquiesce d'un signe de tête. Même s'il s'y attendait, William accuse le coup. Son père, son paternel, puissant et iné-branlable, atteint de cette affreuse maladie.

— Ça évolue lentement au début, p'pa. Faut pas paniquer non plus.

— Ça fait trois ans que je le sais, laisse tomber Zachary.

— Quoi? répond William, certain d'avoir mal compris.

— J'ai eu mon diagnostic il y a un peu plus de trois ans.

— Pis vous avez gardé ça secret tout ce temps-là, toi et Marthe?

— Marthe n'est pas au courant non plus. Personne le sait.

William est sonné.

— Marthe ne le sait pas? Oh…

— Non, je voulais pas l'alarmer.

— Mais ton médecin, qu'est-ce qu'il dit de ça? demande William.

— Il pense que je me fais suivre par un docteur de Montréal.

— Tu lui as menti à lui aussi?

— Oui, répond Zachary d'une toute petite voix.

William n'en revient pas.

— Mais pourquoi t'as fait ça?

— Pour que tout reste pareil. Pour pas que tout le monde me traite en malade. Pour continuer à avoir une vie normale.

Ingrid et Olivier sortent de la quatrième et dernière rencontre qui complète l'évaluation de leur fonctionnement psychosocial. Assis au MacIntosh, ils ont peu parlé depuis qu'ils sont sortis des bureaux de la rue Saint-Antoine.

— Penses-tu qu'on s'en est bien tirés? demande Ingrid.

— Aucune idée, répond Olivier.

— Les premières rencontres, j'avais confiance, mais celle-ci, je ne sais plus.

— Ça va être correct, tente de la rassurer Olivier.

— On aurait pas dû parler de ma dernière incartade.

— On en a discuté mille fois et…

— Je le sais, le coupe Ingrid. Mais je pense que c'était une mauvaise décision. S'ils se disaient qu'on est trop à risque à cause de ça?

— En connais-tu des couples parfaits, toi?

— Non, mais…

Ingrid ne sait plus. S'il fallait que, à cause d'elle, ils ne puissent pas adopter Mélina. Déjà qu'elle avorte chaque fois qu'elle tombe enceinte. Elle frissonne en pensant aux deux bébés qu'elle a perdus, aux fausses couches, aux curetages, au vide qui a suivi. Si ça ne fonctionne pas cette fois-ci, elle devra mettre un point final à son rêve de fonder une famille. Elle se demande si son couple pourrait survivre à cet autre coup du sort. *Ça va passer ou ça va casser.*

CHAPITRE 3

Impossible de savoir si c'est positif ou non. Le visage de Céline, la travailleuse sociale, est neutre. Assis dans son bureau, Ingrid et Olivier échangent un regard furtif. Ingrid n'a jamais été aussi stressée et son amoureux lui semble tout aussi nerveux qu'elle.

— On a analysé toutes vos entrevues et...

— Et? demande aussitôt Ingrid, angoissée.

Céline lui fait un grand sourire.

— Vous allez pouvoir accueillir Mélina chez vous.

Ingrid et Olivier se regardent, fous de joie.

— Sans blague?! fait Ingrid, les yeux dans l'eau.

— Oui, Ingrid. Si vous êtes prêts...

Olivier la coupe, fébrile.

— Si on est prêts? Personne n'a jamais été aussi prêt que nous.

— J'ai parlé à Sophie, la maman de la famille d'accueil, et on pourrait vous l'amener demain en avant-midi.

— C'est parfait! s'exclame Ingrid.

— J'ai un document ici avec tout ce dont vous avez besoin pour son arrivée, leur dit Céline en leur tendant une pochette.

— À mon avis, il ne nous manquera pas grand-chose. Ingrid est sur le dossier depuis un moment déjà.

— Ouain, j'ai commencé à me préparer, avoue Ingrid.

— Sophie m'a dit que vous vous étiez parlé, dit Céline à Ingrid.

— Oui, pour savoir ce qu'elle me donnerait, pour éviter d'acheter en double.

— Parfait. C'est bien que vous ayez gardé contact avec Mélina.

Olivier jette un coup d'œil surpris à Ingrid que Céline ne voit pas.

— Quand elle va arriver chez vous, elle aura des repères.

— C'est vrai, répond Ingrid.

Céline reprend son air sérieux.

— Je dois vous rappeler ce qu'est la banque mixte. Les parents de Mélina sont encore liés à elle. Ils ne sont pas très présents, mais il est toujours possible qu'ils souhaitent reprendre leur fille. Et ils auraient le droit.

— Oui, on le sait. On nous l'a bien expliqué.

Céline se lève.

— Donc, je serai là demain matin et ma collègue Brigitte, la travailleuse sociale de Mélina, sera là aussi.

— On va vous attendre impatiemment, répond Ingrid.

— Je suis heureuse pour vous. Vous allez faire de très bons parents pour Mélina.

Ingrid et Olivier remercient chaleureusement Céline, lui serrent la main et quittent le bureau. D'un accord tacite, ils attendent d'être dehors pour se parler. Ils font quelques pas sur le trottoir, puis Ingrid s'arrête et sautille sur place.

— Oh, mon doux, Oli, te rends-tu compte?!

— Je pense que oui, répond Olivier, tout sourire.

Il prend Ingrid dans ses bras et la fait tournoyer. Un passant les regarde, amusé.

— J'y croyais plus. Pis là...

— Ça peut pas tout le temps aller mal, pas vrai? rétorque Olivier.

— Non.

Ils marchent vers leur voiture.

— Les parents reviendront pas, hein?

— Sophie est certaine que non.

— Ouain, justement, on dirait que tu lui as parlé pas mal, finalement. Je savais pas que t'avais gardé contact avec elle.

— Ben oui. Je trouvais ça important de pas se faire oublier de Mélina.

— Pourquoi tu me l'as pas dit? demande Olivier.

— T'étais en réflexion. Je voulais pas avoir l'air de te forcer la main.

— Ouain, dit Olivier, dubitatif. Encore des cachettes, Ingrid?

— Chicane-moi pas, Oli, s'il te plaît.

— Je suis trop heureux pour ça. Pis j'avoue que ça a du positif. Comme disait Céline, Mélina sera pas complètement perdue en arrivant.

— Exactement.

Ingrid va se coller contre son amoureux avant d'embarquer dans l'auto.

— On va être tellement heureux tous les trois.

Olivier la serre très fort contre lui, mettant de côté la pointe de ressentiment qui a surgi quand il a su qu'Ingrid avait encore eu le réflexe de lui mentir. *Boude pas ton plaisir, c'est pas si grave.*

Frédérick se laisse tomber sur le dos. Jamais il n'a vécu quelque chose de semblable, jamais il n'a fait l'amour avec autant d'intensité. La connexion avec Maria est surréelle. Il peine à s'en remettre. En fait, il ne veut pas du tout s'en remettre. La communion entre eux est totale: corps, cœur, âme. Il se tourne vers elle et le visage de la jeune femme lui révèle qu'elle a vécu la même chose que lui. Ils se sourient d'un air à la fois reconnaissant, exalté et surpris. Puis, en parfaite synchro, ils éclatent de rire, reconnaissants d'avoir tous les deux vécu un moment aussi parfait. Et ils restent là, nez à nez, à se regarder avec ravissement, sans éprouver le besoin de parler. Frédérick détaille le visage de Maria, sa peau douce et bronzée, ses yeux, son nez, ses longs cheveux répandus sur l'oreiller. Ils s'embrassent encore et encore. Frédérick comprend qu'il est irrémédiablement amoureux.

❦

William et Julie sont assis sur le balcon avant avec une tisane.

— Je ne devrais peut-être pas aller à la pêche à la fin du mois.

— À cause de ton père ? demande Julie.

— Ouain, répond William.

— Non, non, s'il y a quoi que ce soit, je serai là, moi.

— C'est vrai.

William tient sa promesse de ne pas téléphoner à Zachary tous les jours comme il en a envie. Zachary ne veut pas être traité en malade et William ne peut que respecter cette demande. Le vieil homme a juré d'aller voir son médecin et ils ont convenu de se revoir après cette visite.

— Il t'a pas encore donné de nouvelles ?

— Il m'a texté qu'il avait pris rendez-vous chez le médecin.

— Quand ?

— Il me l'a pas dit, pis j'ai pas insisté. Je ne veux pas qu'il pense que je le contrôle. Tu sais comment il est, s'il se rebiffe, c'est pas mieux.

— J'arrête pas de revoir la réaction de Marthe, dit Julie.

Après l'avoir avoué à William, Zachary avait dû le dire aussi à Marthe. D'abord incrédule, elle avait eu une réaction de déni, de colère envers Zachary qui lui avait caché sa condition si longtemps, puis elle s'était écroulée en larmes. Elle avait pleuré un long moment, inconsolable malgré les paroles d'encouragement de Julie et de William, leur engagement à toujours être là pour eux. Julie lui a parlé presque chaque jour depuis.

— C'est fou, hein ? Elle est avec lui chaque jour et elle ne l'a pas vu venir, confirme William.

— Qui veut apprendre que son conjoint souffre d'Alzheimer ? dit Julie.

— Elle a été très blessée qu'il lui ait caché ça pendant des années.

— Remarque que, moi aussi, ça me dépasse.

— En y repensant, pas tant que ça. C'est tout à fait son genre, répond William.

— Ah oui ?

— C'est pas à toi que je vais apprendre à quel point il est orgueilleux.

— C'est vrai, mais... non seulement il ne l'a dit à personne, mais il ne s'en est pas occupé du tout. Le déni total.

— Oui. C'est quelque chose.

Le couple reste silencieux un instant.

— Ça fait un moment, quand même. Tu devrais peut-être faire un petit suivi.

— Peut-être, oui. Je vais voir.

Ingrid regarde la chambre de Mélina. Les meubles sont blancs et les tissus gris pâle et jaune. À la tête du lit, elle a fait installer des planches de bois de grange par Olivier et une dizaine de toutous y sont suspendus. Sophie voulait lui donner sa base de lit, mais Ingrid a refusé. Elle a acheté des meubles d'occasion et les a re-peints elle-même. Elle avait besoin de faire quelque chose de concret pour Mélina avant son arrivée. Le résultat est exactement celui auquel elle s'attendait. Tout est im-pec-ca-ble ! Olivier arrive derrière elle.

— Ça fait combien de fois que tu t'assures que tout est OK, qu'il ne manque rien ?

— Au moins mille fois, répond Ingrid en riant.

— C'est vraiment beau.

— Merci.

— Je me suis fait tirer l'oreille pour le bois de grange, mais t'avais raison, c'est réussi.

Ingrid a peine à y croire. Dans quelques heures, Mélina sera ici avec eux. Tous leurs efforts, les rencontres, la préparation, tout prend un sens maintenant. Elle va être maman.

Marthe range dans un tiroir tous les documents qu'elle a ramassés en vue de leur voyage en Croatie. Ce projet ne se réalisera pas maintenant. Elle ne le dira jamais à Julie et à William, mais la crise de larmes, dont ils ont été les témoins stupéfaits, s'est répétée chaque jour pendant presque une semaine. Souvent, le matin, au moment où elle sortait du sommeil, encore insouciante, et que tout lui revenait subitement à la conscience, elle éclatait en sanglots incontrôlables. Une chance que Zachary se lève toujours plus tôt qu'elle et qu'il n'a pas été témoin de cela. Ce qu'elle ne lui dit pas non plus, c'est que cette maladie la fait paniquer. L'Alzheimer. Elle ne se sent pas la force d'affronter ça. Comment pourra-t-elle épauler Zachary dans ce qui s'en vient?

Si elle est parfaitement honnête, il faut qu'elle avoue qu'elle a tout fait pour ne pas voir. Bien sûr qu'elle avait remarqué des petits changements chez son amoureux : il cherchait de plus en plus souvent ses affaires, ses clés, son porte-monnaie, son livre. Il cherchait ses mots aussi, les noms de ses amis, ceux de ses petits-enfants même parfois. Mais, chaque fois, elle se disait que c'était l'âge, que c'est normal d'oublier des choses, que ça lui arrive à elle aussi. Elle ne voulait pas voir.

Dernièrement, c'est pire. Il a souvent de la difficulté à construire ses phrases, lui qui était si structuré. Il oublie de plus en plus de détails de leur vie quotidienne. Il est arrivé trois jours de suite avec du beurre d'arachide, croyant chaque fois ne pas en avoir acheté la veille. Pour dire vrai, Marthe est terrorisée et elle a honte de l'être. Elle, la femme forte, elle se sent complètement démunie face à ce futur qui se profile.

Et pour couronner le tout, Zachary, qui n'a jamais été un modèle de patience, est agacé voire agressif à la moindre contrariété. Ça aussi lui fait un peu peur. Et si l'agressivité allait en s'empirant, et si ça devenait de la violence? Jamais elle ne pourrait y faire face.

Frédérick remercie le ciel de n'avoir que deux cours, finalement. Autant il craignait de s'ennuyer, autant il est ravi. D'autant plus qu'aucun des deux cours n'exige beaucoup de travail. Il va pouvoir voir Maria très souvent. Il sourit en pensant à elle. Jamais il n'a ressenti quelque chose de semblable pour quelqu'un. S'il s'écoutait, il passerait ses jours et ses nuits avec elle.

— Vas-y mollo, *man,* lui a dit Carlos l'autre soir.

— Pourquoi?

— Maria est ici en demande d'asile. Tu sais qu'elle peut être retournée en Colombie comme ça, dit-il en claquant des doigts.

— Ouain, ouain... Fais-moi donc peur, a répliqué Frédérick insouciant.

Impossible qu'ils soient séparés. Ce qu'ils vivent est trop fort. Frédérick a décidé de marcher jusqu'au travail. Tout ce qu'il a en tête, c'est le sourire de Maria, ses yeux, son corps... Maria, Maria, Maria...

Marthe ramasse la vaisselle du petit-déjeuner en observant Zachary du coin de l'œil. *L'Écho de Yamaska* est ouvert devant lui depuis une vingtaine de minutes et il n'a pas encore tourné la page. Il semble plongé dans sa lecture, mais en fait il est perdu dans ses pensées ou perdu tout court. Marthe n'ose pas l'interrompre de peur de le contrarier et de provoquer une chicane. Elle a tellement hâte qu'il aille enfin chez le médecin. Il existe sans doute des trucs, des moyens de l'aider.

— Marthe…

— Oui, Zachary? répond-elle, soulagée qu'il sorte enfin de sa torpeur.

— Est-ce que tu crois que je devrais…

— Oui?

— Voyons, c'est niaiseux. J'ai la tête ailleurs. Je me souviens plus de ce que je voulais te demander.

— Ça va te revenir, le rassure Marthe.

— Oui.

Elle l'observe encore un peu à son insu. Tout semble pareil, il est toujours aussi beau et imposant. Il semble toujours aussi fort, son gros lion. Et pourtant. À l'intérieur de lui, tout a commencé à s'effriter. Marthe frissonne malgré elle.

Ingrid et Olivier attendent l'arrivée de Mélina en furetant distraitement sur leurs téléphones cellulaires. Ça sonne enfin. Ingrid va à l'interphone et actionne le bouton de la porte du bas de l'immeuble. Elle regarde Olivier qui est aussi fébrile qu'elle. Ingrid replace son chemisier.

— Est-ce que je suis correcte?

— Parfaite.

— J'ai jamais été énervée de même.

— Moi non plus, rétorque Olivier.

— Je l'ai pas vue depuis deux semaines, la petite cocotte. Tout à coup qu'elle me reconnaît pas, dit Ingrid stressée.

Enfin, on cogne à la porte. Ingrid va ouvrir. Olivier la suit. Devant eux apparaissent Céline et Brigitte, la travailleuse sociale de Mélina, qui tient cette dernière dans ses bras. Ingrid leur dit bonjour puis se fige. C'est Olivier qui intervient.

— Entrez, entrez!

— Excusez-moi, dit Ingrid. Je suis tellement énervée que je ne sais plus quoi faire.

— Si tu prenais Mélina dans tes bras? dit Brigitte en lui tendant l'enfant.

— Ben oui! Allô, Mélina-bébé.

Au moment où Ingrid l'accueille dans ses bras, la petite fille la prend par le cou et lance un «Groud» enthousiaste.

— Wow, s'exclame Olivier, impressionné.

Les travailleuses sociales sont enchantées de la réaction de Mélina. Ingrid a les larmes aux yeux. «Sa» fille l'a reconnue tout de suite.

Les travailleuses sociales ne sont pas restées très longtemps. Elles sont allées chercher quelques gros sacs remplis de vêtements et de jouets laissés par Sophie, puis elles sont reparties, rassurées de voir que Mélina était à l'aise avec Ingrid. Et ils se sont enfin retrouvés seuls avec leur petite fille. Puis Olivier l'a prise dans ses bras. D'abord prudente, Mélina s'est détendue, voyant qu'Ingrid restait tout près. Maintenant, ils font le tour du condo en lui expliquant tout: «Ici, c'est la cuisine, ici, la chambre de papa et maman...»

— Oh, *my God,* Oli! Tu te rends compte. La chambre de papa et maman. C'est nous, ça!

— Je sais, je capote. Toi, Mélina, ma beauté, capotes-tu?

— Capoute, babille Mélina, au grand bonheur des deux adultes.

— Ici, c'est ta chambre, mon bébé.

Tout de suite, Mélina tend les mains vers les toutous accrochés au mur avec des velcros.

— Toutou!

Ingrid va décrocher quelques peluches et les trois s'assoient sur le tapis jaune et gris pour jouer. *Après mon mariage, je crois que c'est le deuxième plus beau jour de ma vie,* pense-t-elle.

Bien qu'elle ne cherche pas, Marthe découvre maintenant plein de choses que Zachary fait pour compenser son manque de mémoire. Elle ne peut plus ignorer la situation. Ce matin, en prenant des vêtements à apporter chez le nettoyeur, elle a trouvé des notes dans les poches des vestons de son homme. « L'automobile est stationnée devant l'hôtel de ville », « Marthe est à la bibliothèque les mardis matin », « Frédérick vit à Sherbrooke, Ingrid à Granby et Brian à Montréal ». Elle a mis un moment à s'en remettre. Et tantôt elle a pris un appel de Vidéotron pour Zachary et elle a appris qu'ils ont plusieurs mois de retard dans le paiement de leur compte. Elle ne l'a d'abord pas cru, mais elle a dû se rendre à l'évidence. Devant cette accumulation d'informations troublantes, elle se décide à parler à Zachary. Plusieurs questions sont restées sans réponse depuis la visite de William et de Julie. Elle va le rejoindre au salon. Elle s'assoit et ne peut s'empêcher de triturer ses mains.

— Zachary ?

— Oui ? répond le vieil homme, levant les yeux de son livre.

Marthe remarque que c'est le même roman depuis des mois, elle reconnaît la couverture. Elle n'y avait pas prêté attention avant.

— On a eu un appel de Vidéotron, ce matin. Il semble qu'on a du retard sur notre compte.

— Je sais, je leur ai parlé. Je vais leur poster le chèque.

— Tu l'as déjà fait ?

— Marthe, tu ne vas pas me dire comment gérer mes comptes quand même ?

— Non, bien sûr que non. Si tu l'as réglé, tout est parfait.

— C'est tout ? fait Zachary, pressé de retourner à son livre qu'il ne lit pas.

— Non, je me demandais si tu avais pris ton rendez-vous chez le médecin.

— Oui, répond Zachary ne voulant visiblement pas poursuivre.

— C'est quand ?

— La semaine prochaine.

— Zachary, mon gros lion, ose Marthe tout en douceur, tu m'as dit ça la semaine passée et la semaine d'avant aussi.

— Tu me surveilleras pas en plus. Je suis pas un enfant.

— Je sais, je sais, dit Marthe d'une voix apaisante. C'est juste que je m'inquiète pour toi.

— Tu devrais pas.

— Je sais que tu n'aimes pas parler de ça.

— Je déteste ça, tu veux dire. Pourquoi tu penses que j'en ai pas parlé avant? Je savais que tout tournerait juste autour de la maladie.

— C'est pas ça…

— Ben oui, s'emporte Zachary. Tout le monde a l'air de penser que je suis sénile! Ben je le suis pas! OK?

— Mais j'ai jamais dit ça.

— Je suis encore maître de moi-même. Qu'est-ce qu'il va tant faire le médecin? Hein?

— T'aider, te donner des outils…

— Pfft, réplique Zachary avec dédain. Je veux pas que personne me dise quoi faire. Penses-tu que j'ai pas lu sur Internet? Ça se guérit pas l'Alzheimer, Marthe. Médecin pas médecin, ça suit son cours, fait que…

— Fait que quoi?

Zachary ne répond pas et prend un air buté d'enfant qu'elle ne lui connaît pas. Et soudain, elle comprend.

— Oh non… t'as pas pris le rendez-vous comme tu nous l'avais promis.

— Aucun intérêt.

— Mais mon gros lion…

— J'en ai pas pris, pis j'en prendrai pas.

— Quand William va apprendre ça…

— Il ne le saura pas, parce que ni toi ni moi on va le lui dire.

— Oh non, je peux pas lui mentir, se défend Marthe, consternée.

— Marthe, je t'avertis, si tu parles à mon fils, je te le pardonne-rai pas.

— Zachary…

— Tu dis rien à personne, tu m'entends ?

Marthe acquiesce en silence, mortifiée.

Frédérick attend Maria pour aller faire une randonnée dans le Parc du Bois-Beckett. Fébrile, il la voit s'approcher. C'est la fille la plus belle et la plus sexy qu'il ait jamais vue. Pas mêlant, il lui fe-rait l'amour ici et maintenant.

— *Hola, mi vida* ! lui lance-t-elle en marchant vers lui.

Il la prend dans ses bras et ils s'embrassent comme si leur vie en dépendait.

On est déjà à la fin de septembre, mais la journée est belle et chaude et la promenade s'annonce très agréable. Maria est heu-reuse d'avoir ce temps avec lui, car elle veut lui parler de sa situa-tion. Elle voit bien qu'ils commencent à s'attacher l'un à l'autre et elle ne sait trop si c'est une bonne affaire.

— C'est une super bonne idée, au contraire, réplique Frédérick, une pointe d'angoisse au cœur.

— Ma situation est compliquée, Freddy.

— Pis ? Je vais t'aider.

— Tu ne peux pas. Tu dois comprendre que j'ai fait une de-mande d'asile et que, si c'est refusé, je peux être chassée du Canada du jour au lendemain.

— Pas si je suis là.

Maria sourit devant la naïveté de son amoureux.

— C'est gentil, mais…

— Je suis sérieux, Maria. Je vais vraiment t'aider. Pis je sais par quoi je vais commencer.

— Ne t'attache pas trop à moi.

— Trop tard.

Mélina est assise dans sa chaise haute et tripote la nourriture qu'Ingrid a déposée sur sa tablette.

— Veut Sophie.

— Oh, ma cocotte, lui répond Ingrid, désolée. Elle est pas ici, aujourd'hui. Mais elle va venir nous voir demain. OK?

— Non. Veut Sophie.

Olivier, témoin de la conversation, se demande comment sa blonde va réagir. Ingrid retire la tablette et prend Mélina dans ses bras.

— Si on allait au parc? Hein, Mélinette?

— Oui, parc!

Pour le moment, la petite a oublié qu'elle voulait Sophie.

— T'es *top* ma blonde! la complimente-t-il.

— Merci, dit Ingrid en préparant Mélina pour sortir. C'est normal qu'elle s'ennuie. Elle a été avec eux pendant plusieurs mois.

— T'es *full* zen.

— Ouain, mettons, répond Ingrid en souriant. Viens-tu avec nous au parc?

— Non, je vais passer au bureau.

— Je pourrais aller présenter Mélina à Théo et Suzie après le parc.

— Oui, bonne idée!

Frédérick est assis devant ses trois colocs. Ces derniers ont le visage fermé.

— Je peux pas croire que tu lui as offert de venir rester ici sans nous en parler avant, lance Alexis.

— Elle vit sur un divan-lit depuis des mois, répond Frédérick.

— Tu nous mets devant le fait accompli. C'est vraiment pas *cool,* dit Sara.

— Vous me faites rire. Vous êtes tellement pas raccords, laisse tomber Fred.

— Pourquoi tu dis ça ?

— Vous participez à des manifs, vous parlez des réfugiés avec compassion. Je t'ai même déjà vu pleurer, Alexis, en regardant un reportage.

— Rapport ? questionne Sara.

— Maria est une réfugiée.

Les trois sont très surpris.

— Sans blague ? demande Hadib.

— Elle attend des nouvelles d'Immigration Canada. Plusieurs membres de sa famille sont morts aux mains de la milice colombienne.

Cette nouvelle rend les trois colocs muets. Hadib est le premier à réagir.

— Bon. C'est OK pour moi.

— Financièrement, commence Alexis, toujours insécure quand il est question d'argent.

— Elle va participer comme elle le peut, mais elle est pauvre. Elle fait des ménages dans des bureaux au salaire minimum. Le peu d'argent qu'elle a, elle doit le garder pour payer un avocat pour essayer d'obtenir le droit de rester au Canada.

— Je suis d'accord, moi aussi, dit Sara. Mais Fredo...

— Quoi ?

— T'as l'air pas mal en amour.

— Oui. Et alors ?

— Ça va être terrible pour toi si elle doit repartir, si ça marche pas, sa demande.

— Je suis certain que ça va fonctionner.

— Oui, mais tout à coup que non...

— Je veux pas y penser. Je veux juste mettre des ondes positives dans ça.

Les trois amis restent silencieux.

— Elle va s'installer ce soir.

— T'en fais pas, on va bien l'accueillir, dit Sara. Hein, *gang?*

Les deux autres acquiescent avec gentillesse.

— Merci, dit Fred, je savais que je pouvais compter sur votre générosité. Vous êtes vraiment *cool.*

Tout le monde se lève et retourne à ses occupations. Fred reste là un moment. Bien sûr qu'il pense à l'éventualité où Maria devrait retourner en Colombie et ça le fait paniquer. Il fait toutes sortes de plans dans sa tête. Partir avec elle, s'enfuir au fin fond du Québec, s'exiler en Europe… Chose certaine, jamais il ne l'abandonnera. Jamais.

Chez DuoBuzzz, Théo et Suzie reçoivent Ingrid et Mélina avec chaleur. Ils savent à quel point Olivier et Ingrid souhaitaient accueillir la petite fille. Ingrid fait les présentations.

— C'est Théo et Suzie.

— Théo, Suzie, répète Mélina en souriant.

— Oh, *my God,* s'exclame Suzie, elle est juste trop craquante.

— Oui, hein? répond Ingrid, toute fière.

Mélina se laisse regarder, prendre, complimenter. Ingrid et Olivier sont aux oiseaux.

— Vous êtes les premiers à qui on la présente, dit Oli.

— J'espère bien, dit spontanément Suzie.

— Suzie… lance Théo, d'un ton de reproche.

— Ben quoi?! Ça fait des semaines qu'Olivier nous en parle. Chaque jour, plusieurs fois par jour. C'est bien le moins qu'on soit les premiers à lui voir la binette.

— Oli vous en a parlé?

— Euh. Oui, fait Suzie, d'un ton qui sous-entend qu'Oli leur a presque cassé les oreilles.

— Moi qui pensais que tu ruminais ça tout seul dans ton coin.

— Ben non, j'avais quatre oreilles attentives pour m'écouter.

Six oreilles attentives, corrige Buzzz-le-chat du haut de son perchoir dans le coin de la fenêtre. Il a observé la scène et fait des liens. Ahhh! se dit-il, le voilà le changement que j'avais pressenti. Il se déplie lentement, s'étire avec volupté et saute sur le sol. Il s'approche doucement de la petite fille. Calme, celle-ci le regarde s'avancer pendant que les grands jasent entre eux. Buzzz-le-chat s'arrête à un pas de la mini-humaine et s'assoit. Pendant un instant, ils se regardent tous les deux. Buzzz a un bon *feeling*. La petite fait un pas et passe sa main délicatement le long de son dos.

— Douuuuuux, dit-elle avec ravissement.

Buzzz est rassuré. La mini et lui vont bien s'entendre.

Frédérick a emprunté l'auto d'un ami du travail pour déménager les effets de Maria. Il réalise que ce n'était pas vraiment nécessaire quand il la voit sur le trottoir avec deux valises contenant toutes ses possessions. Il stoppe le véhicule à sa hauteur et sort. En s'approchant, il voit que quelque chose cloche. Maria n'affiche pas ce sourire éclatant qui le fait craquer.

— Ça va? s'inquiète-t-il.

— Oui, oui.

— Non, je sais que ça va pas. Qu'est-ce qui se passe?

— Je suis un peu inquiète. C'est que j'ai reçu ma lettre de convocation pour la présentation de ma demande d'asile devant un jury.

— Et ça veut dire quoi exactement? questionne Fred.

— Beaucoup de préparation en très peu de temps.

— C'est quand?

— Fin novembre, dans deux mois, répond Maria.

— T'as tout le temps de te préparer.

Maria explique qu'elle doit préparer soigneusement sa demande, que ça prend beaucoup de temps, qu'elle doit le faire avec un avocat spécialisé en immigration et que celui qu'elle a trouvé ne lui semble pas le meilleur.

— On va t'en trouver un bon. Un super bon !

— Les bons avocats coûtent cher, *cariño mio*. Et moi, j'ai pas beaucoup d'argent.

— Je vais t'aider !

— Non, réplique Maria d'un ton ferme. Je ne veux pas. Mes amis colombiens m'aident déjà. Il y a un organisme d'aide aux réfugiés qui me donne aussi un coup de main.

— Oui, mais…

Maria le coupe, de la colère dans ses yeux.

— Je ne veux pas de ton argent, Frédérick. Je ne suis pas ce genre de fille-là.

— Je le sais ! C'est moi qui te l'offre.

— Si tu me donnes de l'argent, les gens vont croire que je suis avec toi à cause de ça.

— On s'en fout de ce que les gens pensent.

— Pas moi. Je ne m'en fous pas du tout.

Frédérick sent que ce n'est pas le temps d'insister. Pour le moment, Maria est intraitable. Mais il sait quand même qu'il fera tout pour elle, pour qu'elle reste au Canada.

Quelques jours avant que William quitte pour son voyage de pêche au Saguenay, les Harrison ont convoqué leurs enfants à un souper familial. Ils sont tous là, sans leur conjoint, intrigués de savoir ce que leurs parents ont à leur dire. Ingrid est rayonnante à cause de la présence de Mélina dans sa vie et tout le monde le remarque. Brian est seul, Marie-Pier n'ayant pu se libérer du travail. Quant à Frédérick, il est un peu contrarié, car il aurait souhaité présenter Maria à tout le monde ce soir, mais William a insisté pour qu'il vienne seul.

— Vous n'avez pas de problèmes de santé, hein ? s'inquiète Ingrid.

— Non, ce n'est pas à propos de nous, les rassure William.

— À propos de qui alors? demande Brian.

— Laissez-nous servir, on va tout vous dire ça, renchérit Julie.

On parle de tout et de rien, mais tout le monde attend la nouvelle. Le repas est déposé sur la table, tous se servent et complimentent Julie pour son gigot d'agneau. William prend la parole.

— C'est au sujet de votre grand-père.

— Je lui ai parlé, il y a… deux jours. Il allait bien, dit Brian d'un ton inquiet.

— Il a la maladie d'Alzheimer, dit William gravement.

— Ben non! lance Frédérick spontanément.

— Ça se peut pas, s'écrie Ingrid.

Et William leur explique comment il a appris la nouvelle et, surtout, que Zachary leur cache ce diagnostic depuis trois ans. Ils sont tous incrédules en apprenant que leur grand-père n'a eu aucun traitement, qu'il a fait comme si de rien n'était. Les trois sont catastrophés. Leur grand-père, le patriarche, le roc de leur famille est atteint d'une maladie incurable.

— Mais c'est horrible, laisse tomber Ingrid, disant à haute voix ce que tout le monde pense.

Zachary et Marthe sont couchés côté à côte dans le lit qu'ils partagent depuis plusieurs années maintenant. Marthe n'arrive pas à dormir. Elle regrette d'avoir promis le silence à Zachary. Comment a-t-elle pu accepter? Zachary a besoin de soins, il doit impérativement voir le médecin. L'angoisse s'empare d'elle. Tout se bouscule dans sa tête : la promesse de ne pas parler à William ou à Julie du refus de Zachary de consulter, sa peur de la colère de Zachary si elle le fait malgré tout, la crainte de ne pas avoir la force de l'aider dans cette épreuve.

À côté d'elle, Zachary ne dort pas davantage. Il sait qu'il a demandé à Marthe de garder le silence sur quelque chose, mais il ne se souvient plus de quel secret il s'agit. Il la sent agitée à côté de lui, mais il n'ose pas lui poser la question, de peur qu'elle constate à quel point sa mémoire est défaillante. Il s'était pourtant promis de prendre des notes sur tout. Il a même un tout petit cahier qu'il traîne partout avec lui. Il soupire. *Ça va me revenir demain matin après une bonne nuit de sommeil.*

De retour du souper, Ingrid a raconté à Olivier ce qui se passe pour son grand-père. Oli s'est aussitôt inquiété pour Marthe, sa grand-mère, mais il était trop tard pour lui téléphoner.

— Il en est rendu où dans sa maladie ?

— Je ne sais pas, Oli. Pas si pire, selon mon père, mais il ne peut plus le cacher comme il l'a fait ces dernières années.

— Marthe doit être tellement stressée, dit Olivier.

— Selon ma mère, pas tant que ça.

— Ça doit être difficile, elle vieillit, elle aussi, tu sais.

Ingrid et Olivier conviennent d'aller visiter leurs grands-parents dès le lendemain pour constater eux-mêmes comment ils vont et leur présenter leur petite merveille par la même occasion.

Avant d'aller se coucher, Ingrid va voir Mélina dans sa chambre. Elle regarde la petite fille dormir paisiblement – sa fille ! – et se dit, en pensant à Zachary, que parfois, dans la vie, un grand bonheur arrive accompagné d'un malheur.

CHAPITRE 4

Octobre est déjà bien entamé et le temps semble faire son œuvre. Ingrid est heureuse de constater que Mélina ne demande presque plus Sophie. Elle a même dû exiger que cette dernière ne vienne plus la voir aussi souvent. Elles se sont un peu chicanées, d'ailleurs. En fait, Sophie n'arrivait pas à se séparer vraiment de Mélina. Pendant des mois, elle se plaignait et ne voulait plus l'avoir et, maintenant qu'elle ne l'avait plus, elle s'ennuyait. Elle débarquait chez Ingrid à tout moment, les rejoignait au parc, insistait pour prendre la fillette. Comment Mélina pouvait-elle s'adapter convenablement dans ces conditions ? La conversation pour lui faire comprendre qu'elle devait espacer ses visites avait été pénible, mais Sophie avait finalement compris. Elle n'était pas venue depuis deux semaines. *Et Mélina va très bien,* se dit Ingrid, qui passe tout son temps avec la petite. Elle se réjouit d'avoir décidé de ne prendre que très peu de contrats pour être le plus possible avec leur fille. « Leur fille. » Quand elle dit ces mots, Ingrid sent la fierté gonfler son cœur. Elle a dorénavant la responsabilité d'un enfant, de cette magnifique petite fille. Elle, Ingrid Harrison, est mère. Son grand rêve s'est réalisé. Pas exactement de la manière qu'elle l'avait prévu, mais elle est maman et c'est tout ce qui compte.

— Mais c'est impossible, monsieur. Vous ne connaissez pas Zachary Harrison. Il paie ses comptes rubis sur l'ongle, dit Marthe, nerveuse.

— Je suis désolé, mais le nôtre n'a pas été payé depuis plus de trois mois, dit l'employé.

— Êtes-vous certain de ça?

— Oui, madame, lui répond l'homme, sèchement. Si ce n'est pas payé dans les quarante-huit heures, on va devoir couper le courant. Et il y aura des frais pour le remettre en fonction.

— On va s'en occuper, monsieur.

Marthe raccroche le téléphone. Elle est sous le choc. Zachary n'a pas non plus payé le compte d'électricité. Elle se laisse tomber lourdement sur une chaise. Peut-être que ce ne sont pas les seuls comptes qu'il a oublié de régler. Marthe se sent affreusement stressée. Elle a l'impression que tout peut arriver, qu'elle n'est pas en sécurité. Elle a été une femme autonome toute sa vie, mais, depuis qu'elle est avec Zachary, elle s'est laissé prendre en charge. Il est tellement responsable, fort et fier, son gros lion. Elle se reprend : il était. Une fois de plus, elle se sent accablée. Elle va devoir s'occuper de tout, maintenant, si Zachary n'est plus apte à le faire. Et surtout, aujourd'hui même, elle va devoir l'affronter encore, lui dire qu'ils ont un compte en retard et elle redoute sa réaction. Il est très impatient, voire rude, depuis que la famille connaît son état. Marthe se sent coincée entre la peur d'affronter Zachary à propos des comptes à payer, sa promesse de ne pas dire à William qu'il n'a pas encore vu le médecin, ni même pris de rendez-vous, et sa loyauté envers son homme.

Frédérick a organisé une collecte de fonds pour aider Maria à payer son avocat. Il a sollicité tous ses amis, toutes ses connaissances à l'université et même des dizaines d'autres qu'il ne connaissait pas. Il a convaincu son patron du resto de faire un souper bénéfice. Il a lui-même contribué très généreusement et, en quelques semaines, il a amassé une somme rondelette.

Fred a décidé de remettre l'argent à Maria lors d'un cinq à sept où il a convié tous ceux qui ont donné. Maria, qui n'est au courant de rien, arrive au bar et rejoint son amoureux.

— Allô, *mi amor*, dit-elle en l'embrassant.

— Ne bouge pas.

— Mais où tu vas?

Frédérick ne répond pas et va vers le fond de la salle où il y a une petite scène. Il y grimpe et crie pour demander le silence. Maria est intriguée.

— Bonsoir, tout le monde. Si vous êtes ici, c'est que vous avez contribué à la collecte de fonds « Un avocat pour Maria ». Pour ceux qui ne la connaissent pas, elle est là, devant le bar.

Tout le monde se tourne vers Maria qui ne comprend pas trop ce qui se passe. Carlos s'approche d'elle et le lui explique en espagnol. Maria n'en croit pas ses oreilles. Elle regarde Frédérick, incrédule.

— Viens ici, Maria.

Maria traverse la foule qui applaudit et rejoint son amoureux sur la scène.

— Je ne peux pas croire que tu as fait ça pour moi, lui glisse-t-elle à l'oreille en arrivant près de lui.

— Alors, mademoiselle Maria Teresa Gomez Gutierrez, voici 3000 $ pour t'aider à payer ton avocat pour pouvoir rester au Canada. Tout le monde ici a participé. Et bien d'autres aussi qui n'ont pas pu se joindre à nous.

Maria, toujours si fougueuse, est cette fois intimidée. Elle prend le chèque et remercie tout le monde timidement.

— Et, comme promis, c'est le moment de la tournée de shooters! Merci à Michael, le proprio!

Frédérick et Maria descendent de la scène et retournent vers le bar. Quand ils y arrivent, Fred se tourne vers son amoureuse et voit que celle-ci pleure à chaudes larmes.

— Ben voyons, Maria.

— *Estoy tan emocionada.* Je suis tellement touchée, mon amour.

— Tu vas pouvoir demander à ton avocat de mettre plus d'heures sur ton dossier. C'est important.

— Tu es tellement gentil. Je te remercie du plus profond de mon cœur.

— Il n'y a rien qui me fait plus plaisir. Pour être franc, c'est pas mal égoïste de ma part, parce que je veux te garder avec moi pour toujours.

En disant ces mots, Frédérick se rend compte que c'est plus qu'une formule et qu'il vient de dire exactement ce qu'il pense. Il est profondément amoureux et il veut rester avec Maria toute sa vie. Cette pensée le fait sourire. Il la regarde, le visage baigné de larmes : jamais il n'a rien vu de plus beau ni de plus touchant.

Marthe prend son courage à deux mains et va rejoindre Zachary qui profite de la douceur de cette journée d'automne pour prendre l'air sur la terrasse.

— Zachary…

Il se tourne vers elle. Pendant un instant, son regard semble perdu. Mais peut-être a-t-elle imaginé ça.

— Oui ?

— Il faut que je te parle de quelque chose. Mais je ne veux pas que tu te fâches.

— Pourquoi tu dis ça ? Je me fâcherai pas contre toi, voyons.

— D'accord. J'ai eu un autre appel, l'autre jour…

— De qui ?

— Hydro.

— Ah bon ? répond Zachary calmement.

— Notre compte est en retard, mon gros lion.

— Impossible! rétorque Zachary sans hésitation. Tu sais bien que je suis pas le genre à négliger ça.

— Bien sûr, c'est ce que j'ai dit au monsieur. Pourrais-tu vérifier quand même?

— Oui, oui. Mais c'est payé!

— Faut pas tarder à les rappeler, ils menacent de nous couper.

— Ben voyons donc! s'exclame Zachary, outré. Mais ils se prennent pour qui, ce monde-là?

Zachary se lève, en colère.

— Je voudrais ben voir ça qu'ils nous coupent! Pourquoi tu ne m'as pas passé l'appel, aussi?

— Parce que t'étais pas là, répond Marthe, en se tassant dans sa chaise.

Zachary tourne les talons et entre dans la maison. Il claque la porte derrière lui en continuant de marmonner sur l'incompétence des employés, de nos jours. Marthe pousse un grand soupir de soulagement. Elle ne s'en est pas trop mal tirée et Zachary va payer le compte.

Ingrid raccroche avec Brian. Malgré les efforts de celui-ci pour paraître confiant, elle voit bien qu'il est très inquiet à propos de Marie-Pier. Elle aussi d'ailleurs, mais elle n'a pas le temps d'y songer très longtemps, car Mélina capte toute son attention. Elle est dans une phase de fusion avec Ingrid et demande à être son seul centre d'attention. Elle ne la lâche pas d'un poil, a besoin de la toucher sans arrêt, entrerait dans ses chaussures si elle le pouvait. Ingrid est touchée par ce comportement et entend bien tout faire pour rassurer sa petite fille. Ingrid n'a du temps pour elle que lorsque Mélina est assoupie. Dieu merci, elle fait deux siestes par jour et dort plutôt bien la nuit. C'est pendant ces périodes qu'Ingrid réussit à faire quelques petits contrats. *Ce n'est pas cette année*

que je vais développer ma carrière. Mais ce n'est pas un gros sacrifice. Mélina est maintenant la priorité de sa vie.

Zachary est assis à son bureau. Il se demande depuis combien de temps il est là, plongé dans ses pensées. *Oh, mon doux, j'étais pas dans la lune. J'étais... nulle part.* La familière pointe de panique s'insinue en lui. Elle est là de plus en plus souvent. L'impression de perdre pied.

Mais qu'est-ce qu'il fait ici? Il se creuse la tête. Ça n'est pas si compliqué pourtant. *Concentre-toi, Zachary.* Qu'est-ce qu'il fait dans son bureau d'habitude? Il lit? Non. Les comptes à payer! Il ouvre le tiroir où il a rangé ses documents et voit la pile de papiers. Il doit payer des comptes, voilà ce qu'il doit faire. Penché sur le tiroir, il n'a aucune idée de comment s'y prendre. Il sait qu'il a fait ça toute sa vie, mais là, maintenant, ça lui échappe. Il referme le tiroir. Il décide que ça peut attendre. Il se sent davantage en contrôle lorsqu'il prend des décisions.

Zachary se lève et sort de la pièce en prenant soin de bien refermer la porte derrière lui. Il se dirige vers la cuisine avec une vague impression de devoir accompli.

Marthe a profité de sa journée de bénévolat à la bibliothèque pour aller visiter William. Elle entre chez son beau-fils, qui l'accueille un peu inquiet.

— Papa ne va pas bien?

— Non, non, c'est pas ça.

— Ouf, vous m'avez fait peur tantôt au téléphone.

— Mais il fallait vraiment que je te parle, William.

Les deux s'installent dans le bureau. William attend que Marthe lui explique le but de sa visite. Mais elle tire sur le bord de sa jupe, hésitante.

— Allons, Marthe, vous savez bien que vous pouvez me parler en toute confiance.

— Bien sûr, bien sûr.

Alors elle se lance. Malgré sa culpabilité et son impression de trahir son amoureux, elle raconte à William l'appel d'Hydro.

— Ça ne ressemble pas du tout à mon père, ça, de ne pas payer ses comptes.

— Je le sais bien! Mais Vidéotron, Hydro. Tout à coup, tous nos comptes sont en souffrance.

— Rien de spécial dans le courrier?

— C'est lui qui va le chercher au bout du rang.

— Je pourrais aller vérifier peut-être?

— Fouiller dans son bureau, tu n'y penses pas! s'insurge Marthe.

— Qu'est-ce que vous attendez de moi?

— Je ne sais pas, avoue la vieille dame, complètement démunie.

— Je pense qu'on n'a pas le choix, Marthe. Il va falloir que j'aille voir. On va profiter d'un moment où il n'est pas là.

— Il ne sort plus beaucoup.

À force de discuter, William réussit à convaincre Marthe. Elle prétextera une course urgente pour sortir avec Zachary et, pendant ce temps, William ira jeter un coup d'œil sur les comptes de son père. Marthe sort rassérénée de chez son beau-fils. La présence de William la rassure.

❧

La vie avec Maria est exaltante. Frédérick n'a jamais rien vécu de semblable. Ce qu'il a éprouvé pour Marie-Claude n'a rien à voir avec ce qu'il ressent pour Maria. Avec elle, c'est une communication, non une communion! Cette flamme, il le sent, ne s'éteindra jamais. Sa présence au Canada étant fragile et précaire, c'est comme si elle vivait toujours sa dernière journée. Si Maria était intense avant, maintenant qu'elle sait qu'elle peut être rejetée après son entrevue, elle est devenue impétueuse, bouillante, enflammée. Tout ce qu'ils vivent prend une autre couleur, les moments les plus banals deviennent spéciaux.

Olivier regarde Mélina qui, une fois de plus, ne veut qu'Ingrid auprès d'elle. Ingrid doit lui servir ses repas, Ingrid doit l'endormir, Ingrid doit l'habiller. Bien qu'il comprenne ce qui se passe, Olivier commence tout de même à se sentir rejeté.

— Aide-moi un peu, là, Ingrid.

— Quoi?

— J'aurais aimé ça aller la coucher, aujourd'hui.

— T'as vu comme moi, répond Ingrid. Elle voulait rien savoir.

— Si tu me la prends des bras à la seconde où elle commence à chigner, elle s'habituera jamais à moi.

— Souviens-toi, l'autre jour, ça a fini dans un drame épouvantable.

— Je le sais. Mais c'était l'autre jour.

— Je veux pas la forcer à faire des choses qu'elle veut pas faire.

— Ben là! Que je la couche une fois de temps en temps pour qu'elle s'habitue, me semble que...

— On peut-tu la laisser arriver? soupire Ingrid.

— Ça fait plusieurs semaines qu'elle est arrivée.

— Elle n'est pas encore habituée à nous.

— Dis-le si tu veux l'avoir à toi toute seule.

En prononçant ces mots, Olivier se trouve enfantin.

— Franchement, Oli, c'est niaiseux de dire ça.

— Ouain, je sais, convient-il.

Alerté par Marthe, alors que Zachary est parti faire quelques courses, William s'est vite rendu chez le couple. Même s'il semblait très sûr de lui, Will non plus n'est pas enchanté de farfouiller dans les affaires de son père. Zachary est si fier, jamais il n'a autorisé personne à regarder ses comptes. William ouvre la porte et entre dans le bureau de Zachary, son sanctuaire. Le premier coup d'œil le rassure. Tout semble en ordre. *Ça ne peut pas être si pire, après tout.* Il va s'asseoir au bureau. Sur le buvard, deux enveloppes pas encore ouvertes, dont l'une, celle de la compagnie de téléphone, avec la mention « 3e et dernier avis » imprimée en rouge au recto. William grimace. Il entreprend d'ouvrir les tiroirs à la recherche de comptes. Dans celui de droite, des fichiers bien ordonnés avec le nom des fournisseurs. Les factures payées dans la première section. Il regarde les dates : tous ces comptes datent de l'été. Il parcourt les factures une à une : aucune n'a été réglée depuis juillet. William remet les factures en place. Peut-être son père a-t-il classé les autres ailleurs. Will ouvre le tiroir de gauche. Elles sont là, toutes les factures reçues depuis l'été, empilées pêle-mêle. William entreprend de tout sortir. Il y en a des dizaines. Il met aussi la main sur le chéquier et constate que le dernier chèque a été fait le 12 juillet, il y a plus de trois mois. En examinant les autres tiroirs, il trouve des petites notes griffonnées par son père, des pense-bêtes un peu partout.

Il regarde rapidement les nombreux comptes en souffrance. Ici, une menace de coupure d'électricité, là une menace d'envoyer le compte à une compagnie de recouvrement. Il y en a trop pour pouvoir s'en occuper maintenant. William va chercher un sac à la cuisine, y met tous les documents et repart.

Frédérick a décidé de trouver le meilleur avocat pour Maria. Il a téléphoné à la bonne amie de sa mère, Hélène, qui est avocate à Granby et qui l'a dirigé vers un collègue de Sherbrooke. Un *top*

dans son domaine. Frédérick est tout fier de l'annoncer à Maria. Cette dernière n'accueille pas du tout cette nouvelle comme il l'espérait.

— Pourquoi t'as fait ça, Freddy ?

— Pour que tu aies le meilleur.

— Mais je ne veux pas changer d'avocat.

— Mais, Maria, il faut que tu mettes toutes les chances de ton bord, voyons. J'ai même pris rendez-vous pour toi.

— Avant de m'en parler ? demande Maria, froidement.

— Je ne voulais pas perdre de temps, se défend Frédérick.

— Annule, je ne changerai pas d'avocat, dit-elle d'un ton sec.

— Mais Maria…

— C'est non. Il est avec moi depuis le début, il connaît bien mon histoire et j'ai confiance en lui. C'est mon amie qui me l'a recommandé. Je ne peux pas m'en aller avec un autre maintenant.

Maria ne changera pas d'idée, il le comprend rapidement. Il sait instinctivement qu'il ne doit pas insister. La belle est tout de même touchée par la mine déçue de son amoureux. Elle s'adoucit.

— Je te remercie de tout ce que tu fais. Mais là, c'est trop. D'accord ?

— Oui, oui.

Frédérick vient de découvrir une autre facette de Maria. Même s'il est un peu vexé de s'être fait retourner avec son idée d'avocat haut de gamme, il aime aussi ce côté fier qu'il perçoit chez sa chérie.

William a mis de l'ordre dans les papiers de son père. Il a téléphoné à tous les créanciers et a payé lui-même les comptes pour éviter le pire. Dès son arrivée, Julie vient le rejoindre dans son bureau.

— Ta visite chez ton père ?

— C'est la catastrophe.

— Ben non, ça peut pas être si pire.

— Oui.

William lui expose l'état des comptes de son père et les mesures qu'il a prises pour tout régler.

— T'as bien fait. Donc plus rien à craindre de ce côté-là ?

— Non, mais va falloir que je m'en occupe dorénavant.

— Je me demande comment Zachary va prendre ça.

— Mal sûrement, prévoit William. Mais c'est lui qui m'inquiète, bien plus que les comptes.

— On ne le pensait pas rendu aussi pire, hein ? lui dit Julie avec douceur.

— Non. Je capote un peu.

— Je te comprends. As-tu eu des nouvelles de sa visite chez le médecin ?

— Non, j'ai complètement oublié de demander à Marthe.

William ne le dit pas à Julie, encore incapable de mettre des mots sur ce qu'il ressent, mais il est ébranlé par ce qui arrive à son père. Le fait de savoir qu'il souffre de cette maladie est une chose. En avoir vu concrètement les conséquences le bouleverse. La pile de comptes impayés, son père qui joue à celui qui est encore en contrôle, alors que tout s'effrite… Les larmes lui montent aux yeux.

Frédérick attend Maria dehors, à la porte du bureau de son avocat. À voir sa mine quand elle sort, il comprend que tout n'est pas gagné. Il va vers elle et elle se blottit dans ses bras.

— Ça s'est mal passé ?

— Non, mais ça ne sera pas facile, dit-elle.

Au Café où ils s'arrêtent, Maria raconte ce qui s'en vient pour elle.

— D'abord, il y a des milliers de demandes d'asile au Canada.

— Oui, mais ta vie est en danger en Colombie.

— Il y a beaucoup de gens dont la vie est menacée dans leur pays, tu sais.

— Mais comment ils choisissent?

— Par priorité, répond Maria. Ils vont vers les cas les plus sévères.

Maria relate à Frédérick ce que l'avocat lui a dit à propos de cette entrevue déterminante. Elle devra se souvenir de toutes les dates relatives à son dossier. Tout ce qu'elle dira devant le comité doit correspondre exactement à ce qu'elle a inscrit dans sa déclaration à son arrivée au Canada. Son avocat, quant à lui, devra mettre en évidence les dangers qu'elle court si elle retourne dans son pays. Maria lui a raconté en détail les meurtres de son père et de son oncle, et aussi le fait que ses frères se cachent depuis des années pour éviter le même sort.

— C'est très difficile de se faire accepter comme réfugié. Même ceux qui sont en danger extrême sont parfois refusés parce qu'ils ont raté leur entrevue à cause de leur nervosité.

— Tu parles parfaitement français, ça doit être un atout.

— Je sais pas. Je crois que oui.

— Je suis certain que ça va jouer en ta faveur.

— Oui, sans doute, mais c'est pas ça qui me stresse, c'est tout le reste. J'ai peur, Freddy.

— Je vais t'aider, répond Frédérick avec ferveur. On va se préparer comme pour un gros examen.

— Je vais me préparer, corrige Maria.

— Je vais être avec toi à chaque moment. Je serai ton soutien moral.

Elle a pris deux bouchées et n'a plus faim du tout. Assise devant William et Julie qui l'ont invitée à luncher, Marthe déverse ses inquiétudes en un flot de questions.

— T'as payé toi-même tous ses comptes?

— Oui.

— Mais ça doit faire beaucoup d'argent, dit Marthe.

— Je me suis fait un chèque pour me rembourser. Il reste seulement à le faire signer par p'pa.

— Ça veut dire qu'il va savoir qu'on a joué dans ses papiers.

— Oui.

— Marthe, intervient gentiment Julie, je crois que Zachary ne pourra plus s'occuper de ses affaires. William va devoir prendre le relais.

— Oh, mon doux, s'exclame Marthe, la main sur la bouche. C'est pas moi qui vais lui dire ça.

— Bien sûr que non, la rassure Julie. Mangez un peu, Marthe...

Marthe réussit à avaler quelques bouchées. Ils discutent de sujets plus légers jusqu'à la fin du repas. Au dessert, William s'informe :

— Je suppose que le docteur vous a donné des trucs, des exercices, des conseils...

Marthe baisse le regard.

— Non ? demande William. Vous savez, Marthe, si ce médecin-là fait pas l'affaire, on va en trouver un autre.

— Non, non, c'est pas ça.

William et Julie attendent la suite qui ne vient pas. Soudain, William comprend.

— Mon père n'est pas allé chez le médecin.

L'air contrit de Marthe lui confirme qu'il a vu juste.

— Oh, mon Dieu, Marthe... soupire Julie.

— Il m'a fait jurer de n'en parler à personne. Il ne veut pas voir le médecin, parce qu'il est convaincu que ça va empirer les choses, dit Marthe, en larmes.

— Vous savez bien que ça tient pas debout, ce raisonnement-là, dit William, un peu découragé.

— Tu iras dire ça à ton père, toi, s'exclame Marthe, sur la défensive.

William et Julie font tout ce qu'ils peuvent pour rassurer Marthe, la convaincre qu'ils comprennent sa solidarité envers

Zachary, mais qu'il a besoin de soins et qu'elle-même aura sans doute besoin d'aide prochainement. À bout d'arguments, Marthe accepte que William et Julie parlent à Zachary. Une fois la vieille dame partie, William prend un rendez-vous médical pour son père. Il est chanceux, il y a eu une annulation et Zachary pourra être vu dans quelques jours.

Zachary vocifère, rouge comme une tomate, et marche de long en large devant Marthe et William. Ce dernier reste calme. Marthe, quant à elle, est recroquevillée dans son fauteuil, un peu apeurée par cette réaction colérique qu'elle redoutait tant.

— De quel droit tu as fouillé dans mes affaires ?!

— Papa, tes comptes étaient en retard…

— C'est pas vrai, ça !

— C'est pas grave, de toute façon, réplique William avec douceur. C'est réglé maintenant.

— Qu'est-ce que tu veux dire ?

— Tout le monde a été payé. Mais je veux aussi te parler d'autre chose.

— Quoi encore ?!

— On a rendez-vous chez le médecin dans une heure.

— Pardon ?

— Je vais t'accompagner.

— Non.

Zachary regarde Marthe. Celle-ci baisse les yeux.

— C'est toi, Marthe, qui veux que j'aille chez le médecin.

— C'est ce qu'on veut tous, pour ton bien, intervient William.

Marthe s'attend à ce qu'il l'accuse de trahison pour avoir dit à Will qu'il n'avait pas pris de rendez-vous, mais Zachary semble avoir oublié cette promesse. Marthe en est immensément soulagée. Zachary se tourne vers son fils.

— Je vais pas chez le docteur, maintient Zachary, buté.

— Papa, s'il te plaît. Tu as besoin d'aide. Tu le sais bien.

Et tout à coup, toute colère semble s'évanouir. Zachary s'assoit sur le divan, tête basse, vidé de son énergie. Il n'est plus maintenant qu'une pâle copie de celui qui fulminait quelques minutes auparavant.

— Qu'est-ce que ça va me donner? C'est une maladie incurable. Le médecin ne pourra rien faire.

— Il y a plein de choses qui peuvent faciliter ta vie. Et il y a Marthe aussi. Elle va avoir besoin d'aide, de ressources. C'est difficile pour elle, papa.

Zachary regarde Marthe. Il réalise à ce moment qu'elle aussi vit quelque chose dans cette histoire. Il se rend compte de son égoïsme.

— Oh, Marthe, je suis tellement désolé.

— Mais non, Zachary, voyons…

— J'ai juste pensé à moi. J'ai pas réalisé que tu en souffrais, toi aussi. Je m'excuse, ma chérie.

Marthe va s'asseoir près de lui et lui caresse la main. Zachary se tourne vers son fils.

— Je vais aller chez le médecin avec toi.

L'incertitude liée à la situation précaire de Maria obsède Frédérick. Il ne pense qu'à ça. Il a lu beaucoup sur Internet. Il a téléphoné à l'avocat recommandé par Hélène pour obtenir des informations et a pris sa décision. Si l'audience de Maria devait mal se passer, il a un plan : il va entreprendre les procédures de parrainage. Et pour commencer cette démarche, ils doivent se marier. Lui qui n'a jamais pensé au mariage auparavant trouve aujourd'hui cette situation toute naturelle. De toute façon, leur relation s'en allait vers ça. Comme beaucoup de Latinos, Maria est croyante et elle ne penserait jamais fréquenter sérieusement un homme et fonder une famille sans être mariée. Comme il est convaincu de vouloir passer sa vie avec elle, l'épouser maintenant ou plus tard, c'est sans importance. Ainsi, lorsqu'elle ira à son audience, les démarches de parrainage et celles du mariage seront en cours.

Dr Béland les accueille chaleureusement. William observe son père. Sa confiance en lui s'effrite à mesure que la conversation avance et que le médecin pose des questions. Zachary répond souvent de manière trop positive. William se sent obligé de corriger et Zachary le prend mal.

— Monsieur Harrison, avez-vous remarqué que vous vous sentiez moins enclin à sortir de chez vous?

— Demandez à mon fils, rétorque Zachary, buté. Il a l'air de connaître ma vie mieux que moi.

Dr Béland a beau expliquer qu'un bilan juste les guidera adéquatement quant aux mesures à prendre, rien n'y fait. Zachary est complètement fermé. Le médecin demande alors à William de les laisser.

William sort de la pièce à contrecœur. Il passe plus de trente minutes dans la salle d'attente et est rappelé dans le bureau du médecin.

— Votre père et moi avons eu une très bonne conversation.

— Sans qu'on ait eu besoin d'un chaperon, précise Zachary.

Le docteur Béland sourit à cette pique et poursuit.

— On va se revoir la semaine prochaine avec madame Brabant.

— C'est important qu'il rencontre Marthe, parce que c'est elle qui vit avec moi.

— Ben oui, je comprends.

Zachary remercie chaleureusement le médecin avec qui il a créé une relation très positive en l'absence de William. Ils prennent rendez-vous pour la semaine suivante et s'en vont.

— T'as l'air de bonne humeur, je suis content, souligne William.

— Il y a plein de choses que je peux faire pour me guérir, tu sais.

William se retient de réagir spontanément. Il regarde son père qui semble tout heureux.

— Papa, tu sais que l'Alzheimer, ça se guérit pas comme tel, hein?

— Quand est-ce que tu as eu ton diplôme en médecine, toi? demande Zachary sèchement.

— Je veux juste dire que…

— Dr Béland dit que la maladie évolue très différemment d'une personne à l'autre.

— C'est vrai, mais…

— Il y en a qui sont restés au même stade pendant des années, dit Zachary, sûr de lui.

William veut lui rappeler qu'il a eu son diagnostic il y a près de trois ans et qu'il y a des chances que les choses s'accélèrent maintenant. Mais il se retient une fois de plus, change de stratégie en décidant de se taire. Si le fait de tordre un peu la réalité l'aide à vivre, ma foi, pourquoi pas.

— T'as bien raison, p'pa. Pourquoi tu ferais pas partie des heureux élus?

— Exactement, répond Zachary tout sourire.

Ingrid répond au téléphone, Mélina accrochée à elle comme une moule sur son rocher. C'est Céline, la travailleuse sociale. Après les salutations d'usage, Céline entre dans le vif du sujet.

— La maman de Mélina souhaite voir sa fille.

Ingrid a l'impression que le sang se retire de son corps.

— Quoi? répond-elle d'une voix blanche.

— On l'a avisée du changement de famille d'accueil. Elle veut voir comment va sa fille avec vous, sa nouvelle famille. Ce sera une courte visite supervisée, précise la travailleuse sociale.

— Mais comment ça ? Elle débarque, elle veut voir Mélina, pis vous...

— Laisse-moi t'expliquer, Ingrid, dit Céline d'une voix calme.

Céline explique que Karine, la mère de Mélina, est venue il y a un mois avec cette demande. Elle s'est présentée aux deux rendez-vous suivants. Céline n'en a pas parlé parce que souvent, dans ces cas-là, les parents se présentent une fois et ne donnent plus de nouvelles ensuite. Elle ne voulait pas alerter Ingrid inutilement.

— Ça fait qu'elle va peut-être vouloir la reprendre ? C'est ça ?

— On n'en est pas encore là. Pas du tout, même. En fait, Karine n'a pas une vie pour accueillir un enfant, en ce moment.

— Alors pourquoi faire cette rencontre-là ?

— Parce que c'est sa mère et qu'elle a le droit de voir sa fille.

— OK, répond Ingrid sous le choc. C'est pour quand ?

— Dans une semaine, le 2 novembre.

Ingrid note la date machinalement et raccroche. Elle serre Mélina contre elle, très fort. La fillette trouve ça très amusant et la serre de toutes ses forces à son tour. Ingrid reprend le téléphone et appelle Olivier.

— Allô ?

— Oli, je capote !

Chapitre 5

Demain le 2 novembre. Depuis l'appel de Céline, Ingrid dort très mal. Elle s'imagine le pire : que Karine va reprendre Mélina, que sa petite fille va lui être enlevée, qu'elle va se retrouver les bras vides, encore une fois. Olivier, plus calme, a tenté en vain de la rassurer. Elle sait bien que ça ne changera rien qu'elle s'inquiète, mais c'est plus fort qu'elle. Quand elle pense à ce que serait sa vie sans Mélina, elle tombe dans un trou de tristesse et d'angoisse. Et elle se sent isolée. Marie-Pier n'est pas disponible, avec tout ce qui lui arrive. Et, inversement, Ingrid ne l'est pas non plus et ne peut rassurer son amie.

Ingrid est allée rejoindre sa mère à la pépinière familiale. Elles prennent une bouchée au bureau de Julie. Mélina est assise par terre, tout près d'Ingrid, et joue avec des objets de bois que Julie a déposés là pour elle.

— Je veux pas parler de ça, parce que… dit Ingrid en regardant Mélina.

— Je comprends, répond Julie. De toute manière, t'en as déjà assez parlé. Qu'est-ce qu'il y aurait à ajouter ?

— Ouain. J'angoisse déjà assez de même.

À ce moment-là, William entre dans le bureau et se dirige droit vers Mélina.

— Ah, ah!!! Je savais que je trouverais la plus belle fille du monde ici!

— C'est fin pour nous autres, ça, dit Ingrid en souriant.

William se dirige vers Mélina qui rit aux éclats en se faisant chatouiller par son nouveau grand-papa, qui la soulève et la monte très haut au bout de ses bras.

— Comment t'as su qu'on était ici?

— Ta mère s'en est vantée dans un texto.

Ingrid se tourne vers sa mère.

— Sans blague?

— Je l'avoue.

— Mélina, ma grande fille, viens-tu avec moi faire le tour de la pépinière? Je vais te dire le nom de toutes les fleurs que je connais.

— Ils seront pas partis longtemps, dit Julie, moqueuse.

Mélina regarde Ingrid.

— Ben oui, Mélinette. *Go!*

William met la fillette sous son bras et l'emmène en imitant un bruit d'avion.

— On décolle, ma jolie! Tiens-toi bien.

Et ils disparaissent dans la pépinière, Mélina criant de joie.

Ingrid et sa mère se regardent.

— Il est tellement gaga.

— Complètement.

Ingrid se rembrunit.

— Verrais-tu ça qu'on la perde?

— Ingrid…

— Je sais, je sais.

— C'est quand même incroyable qu'elle puisse revenir comme ça.

— Tant qu'on est dans le délai… répond Ingrid.

— Ça finit quand ça? Après quelle date elle ne pourra plus revenir? demande Julie.

— Le délai finit en mars. Elle ne pourra plus la reprendre, mais elle pourra encore la voir.

— Ça te dérange?

— Si ça trouble pas Mélina, j'ai rien contre. C'est vivre avec la peur de me la faire enlever qui me rend malade.

— Je sais que même si je te dis d'avoir confiance...

— Je me parle, maman, je te le jure.

Zachary se dit qu'il avait bien raison de ne pas vouloir aller chez le médecin. Même si Dr Béland est compréhensif, qu'il ne l'infantilise pas, le fait de le voir, de passer des tests, de répondre à ses mille questions le met en face d'une réalité qu'il ne voulait pas voir.

Depuis que sa maladie est devenue officielle, il se rend bien compte que ça empire. Sa routine du matin, qu'il accomplit depuis plusieurs années, lui donne maintenant du fil à retordre. Il est resté plusieurs minutes devant le petit four à se demander ce qu'il devait faire. Dieu merci, Marthe n'était pas là pour le voir. Il cherche ses mots de plus en plus souvent. Pas des mots compliqués, des mots faciles qui restent aux abords de sa conscience. Comme s'il les avait sur le bout de la langue, mais avec une sensation d'angoisse, parce qu'il sait que ce n'est pas normal de ne pas se souvenir des mots «lave-vaisselle» ou «prise de courant». De plus, il hésite de plus en plus à sortir. En réalité, il serait plus juste de dire qu'il fait tout pour ne pas sortir de chez lui, ça l'angoisse terriblement. Il a peur d'oublier où il va, de ne plus se souvenir du chemin, de perdre son auto. Il trouve toutes sortes de raisons pour ne plus avoir de conversation avec Marthe. Cela le peine, car leur jasette du matin, après le petit-déjeuner, lui manque. Mais il ne peut plus commenter les nouvelles, c'est juste s'il n'oublie pas à mesure ce qu'il lit et on dirait que tout cela ne l'intéresse plus vraiment. Quelquefois, il s'assoit au salon, tablette sur les genoux et il revient à lui une heure, deux heures plus tard. C'est très troublant. Il se sent désormais dans un état d'angoisse quasi permanent.

Il s'épuise à tenter de faire comme si de rien n'était avec Marthe. Mais il surprend parfois son regard inquiet. Il se sent alors coupable ou, pire, empli d'une colère incontrôlable. C'est comme s'il sentait le sol se dérober sous ses pieds à chaque moment.

❧

Il y a encore des travaux sur la rue King, et Fred et Maria doivent faire un détour pour revenir à la maison, après une autre rencontre de la jeune femme chez son avocat. Ils marchent main dans la main.

— Ça s'est bien passé?

— Oui, mais j'ai peur d'oublier des choses.

— Ça va bien aller.

— Et si ça va mal, je vais devoir partir. *Me pongo muy ansioso cuando pienso en eso*[2].

— J'ai eu une idée.

— Une idée de quoi?

— Je vais te parrainer.

— Non, réplique Maria. *Me niego*[3]. C'est plus compliqué que ça.

— Je sais. Attends avant de dire non. J'ai pas fini.

Frédérick s'arrête et prend les mains de Maria dans les siennes. Il a répété sa phrase. Il est sûr de lui. En fait, il n'a jamais été aussi certain de quelque chose.

— Maria Teresa Gomez Gutierrez: *¿Quieres casarte conmigo*[4]?

Alors qu'il s'attendait à ce que Maria, folle de joie, lui saute dans les bras, cette dernière réagit d'une tout autre manière. Elle retire ses mains et le regarde avec colère.

— Tu crois que je suis qui?

— Tu es la fille que j'aime, répond Frédérick, démonté par cette réaction.

_____

2. J'angoisse tellement quand je pense à ça.
3. Je refuse.
4. Veux-tu m'épouser?

— Soit tu as pitié de moi, soit tu crois que je suis une *gorrona*… une profiteuse!

— Mais pas du tout! se défend Fred. Je t'aime et je veux qu'on passe notre vie ensemble.

— Tu crois vraiment que je pourrais abuser de toi comme ça?

— Maria, comprends donc que tout ce que je veux, moi, c'est que tu restes ici, qu'on vive ensemble et qu'on soit heureux. Que t'aies plus jamais peur d'être chassée d'ici. C'est tout. Je suis prêt à tout faire pour ça.

— Je suis pas d'accord.

— Mais pourquoi? demande Fredo, découragé, sentant bien que Maria ne changera pas d'idée.

— Parce que je n'ai pas beaucoup de choses, Frédérick. Pas de maison à moi, pas de famille et pas d'argent. La seule chose qui me reste c'est… *mi orgullo, mi dignidad*. Ma fierté et ma dignité.

Qu'est-ce qu'il pourrait bien opposer à ça? Si elle en fait une affaire de dignité, il ne peut rien y faire.

— Je le vois pas comme ça, moi. Je pense qu'on doit utiliser tous les moyens à notre disposition pour que tu puisses rester. Ton honneur n'a rien à voir là-dedans. C'est moi qui y ai pensé, je te l'offre.

— C'est non, Freddy. Ne me parle plus jamais de ça, d'accord?

— D'accord, répond Frédérick en soupirant, découragé.

Soudainement, pour Fred, la pointe d'un doute surgit. *Est-ce qu'elle m'aime autant que je l'aime, si elle n'est pas prête à tout pour rester ici, avec moi?*

Ingrid s'apprête à se rendre au centre jeunesse. Elle a à peine fermé l'œil la nuit dernière et sa nervosité a déteint sur Mélina, qui a été impatiente et à cran tout l'avant-midi. Elle s'est changée trois fois, se trouvant trop chic, trop relax, trop sage… Elle ne veut pas que Karine pense qu'elle se croit mieux qu'elle ou plus importante.

Pour la millième fois, Ingrid se demande comment elle devrait se comporter. Si seulement il existait un livre d'instructions pour savoir comment agir avec la mère biologique de son enfant. Céline, la travailleuse sociale, lui a dit de se sentir à l'aise et d'agir naturellement. *Ça veut dire quoi, ça, « agir naturellement »?*

Olivier lui a téléphoné deux fois pour savoir comment elle allait et pour l'encourager. Elle lui a fait croire qu'elle était calme, alors que c'est tout le contraire. Elle est hyper inquiète et a l'impression qu'elle ne sera jamais prête. Elle regarde l'heure, c'est le temps de partir.

— Viens, Mélina, faut y aller.

— Non.

— Je sais que ça te tente pas, mais on doit y aller quand même. On a promis. Tu sais comme c'est important, les promesses. On a parlé de ça.

Quand Ingrid et Mélina arrivent au centre, Céline et Brigitte les accueillent et leur annoncent que Karine n'est pas encore arrivée. Elles se rendent dans la petite salle des rencontres. Brigitte explique le déroulement.

— On va d'abord faire les présentations.

— On sera toutes les cinq ensemble?

— Je vais me retirer, moi, si tu n'as pas d'objection, Ingrid, dit Céline.

— Non, non. Du moment que Brigitte est là.

— Ensuite, on va laisser Karine passer un peu de temps seule avec Mélina. D'accord, Mélina?

— Oui, répond la fillette d'une toute petite voix qui donne envie à Ingrid de pleurer.

— Si ça va pas, tu n'as qu'à le dire et on va revenir, d'accord?

Brigitte se tourne vers Ingrid et lui révèle que le grand miroir au fond de la salle est sans tain, ce qui permet aux travailleuses sociales d'observer les rencontres et d'intervenir au besoin. Bizarrement, la présence du miroir rassure Ingrid. Une employée vient avertir que Karine est arrivée.

— Je reviens tout de suite, dit Brigitte en quittant la pièce.

Une dizaine de minutes plus tard, Brigitte revient avec Karine. Ingrid ne peut empêcher un mouvement de surprise en voyant l'allure de celle-ci. Parce que la jeune femme est aux prises avec des problèmes de dépendance aux drogues, elle s'était imaginé qu'elle aurait le visage défait, le mascara coulant, qu'elle serait vêtue d'un jeans trop moulant et d'un haut à l'avenant. Mais Karine est presque le contraire. D'abord elle est très jeune, beaucoup plus jeune qu'Ingrid. Elle a beau être une consommatrice régulière d'héroïne, elle a une peau impeccable, est vêtue correctement et est vraiment très belle. Mélina lui ressemble beaucoup d'ailleurs. Les deux femmes se serrent la main.

— Bonjour. Je suis Karine.

— Ingrid.

Karine est visiblement aussi nerveuse qu'Ingrid de cette rencontre. Elle se penche vers Mélina et lui dit, en se retenant de la toucher :

— Allô, Mélina, ma chérie. C'est maman.

— Allô, répond Mélina, d'une toute petite voix, en reculant d'un pas.

Karine note ce recul et se force à être compréhensive et à sourire. Elle se relève, se tourne vers Ingrid, la regarde dans les yeux, sincère, et lui dit à mi-voix :

— Je te remercie de t'occuper de ma petite fille.

Touchée, Ingrid ne sait trop quoi répondre et laisse tomber un « de rien » machinal. Brigitte se penche à son tour vers Mélina.

— Mélina, ma chouette, Ingrid et moi, on va te laisser avec maman Karine, d'accord ?

— Oui, souffle Mélina, pas très sûre d'elle.

— Tu vas être correcte ?

Mélina lève les yeux vers Ingrid qui lui fait un grand sourire encourageant.

— Oui, répond la fillette.

— Super! dit Brigitte joyeusement. On vous laisse alors.

Ingrid et Brigitte sortent. Ingrid va s'asseoir, anxieuse, dans la salle d'attente. *Et si Mélina avait un élan vers Karine, si elle préférait sa mère biologique?*

Brigitte quant à elle, se rend dans la pièce adjacente, de l'autre côté du miroir sans tain. À son arrivée, Karine est assise sur le sol en tailleur et parle à sa fille. Brigitte peut tout entendre dans les haut-parleurs.

— Tu te souviens de moi, Mélina?

— Sais pas, répond Mélina.

— J'ai eu des petits problèmes, c'est pour ça que j'ai pas pu venir te voir avant.

Mélina regarde Karine de ses grands yeux bleus.

— Mais là, je vais mieux, pis j'aimerais ça te voir plus souvent.

Mélina ne répond rien et continue de la regarder.

— Toi, aimerais-tu ça?

— Sais pas.

Karine la regarde un moment en silence, retenant visiblement ses larmes. Puis elle se tourne pour fouiller dans son sac à main.

— Je t'ai apporté un petit cadeau.

Le visage de Mélina s'éclaire. La fillette s'approche pour voir de plus près. Karine lui tend un sac. Mélina prend le sac en disant merci. Elle sort rapidement une passe pour les cheveux, rose avec des brillants et un petit chat en velours.

— Veux-tu que je te mette ta passe pour voir si ça te fait bien?

— OK, dit Mélina, tout heureuse de ses cadeaux.

De l'autre côté de la vitre, Brigitte observe attentivement Karine mettre la passe dans les cheveux de Karine. Mère et fille sont souriantes.

— T'es trop belle, dit Karine. T'as l'air d'une vraie princesse.

Spontanément, Karine prend sa fille et la serre contre elle. Mélina, surprise, se raidit.

— Fais-moi un câlin, Mélina.

— Non, dit Mélina d'une voix stridente.

Brigitte a les yeux rivés sur Karine.

— Mélina, je me suis ennuyée, moi.

Mélina ne dit rien et recule encore. Karine la regarde, le visage défait par la peine.

— Juste un petit câlin de rien.

Karine avance vers Mélina, la prend et la serre contre elle. Mélina tente de se défaire de l'étreinte de sa mère en pleurant.

— Non! crie la fillette.

Brigitte sort de la pièce pour aller dans l'autre. Elle arrache doucement mais fermement Mélina des bras de Karine. Ingrid, qui a entendu les pleurs de Mélina quand la porte s'est ouverte, accourt. Brigitte tend la fillette à Ingrid. Mélina, en pleurs, se blottit contre elle. Brigitte retourne vers Karine.

— Je voulais juste la sentir contre moi un peu. J'ai ben le droit, se lamente Karine, dans ses sanglots. C'est moi, sa mère.

— On avait discuté de ça, Karine…

La voix de Brigitte se perd alors qu'elle referme la porte. Mélina, collée contre Ingrid, ne réussit pas à se calmer.

— Veux pas Karine.

— Ben non, Mélinette. C'est correct.

Marthe fait tout pour que Zachary ne s'aperçoive pas qu'elle sait à quel point il n'est plus le même. Il est plus sombre, plus renfermé, plus silencieux aussi. Chaque jour, elle trouve des objets rangés à des endroits incongrus: des ustensiles dans la bibliothèque du salon, un livre dans le panier à lavage. Il y a quelques jours, elle s'est arrêtée à l'entrée de la cuisine et l'a vu devant le petit four, immobile, ne sachant visiblement pas quoi faire. Elle est repartie et est revenue une dizaine de minutes plus tard et il était encore là. Elle a bien failli fondre en larmes. La porte de son armoire à vêtements est couverte de Post-it. En rangeant des bas, elle a trouvé un papier sur lequel il a écrit d'une écriture hésitante, qui n'a rien à voir avec son écriture affirmée, les mots suivants : « Petits-enfants : Brian, Ingrid, Frédérick. » C'est à ce moment-là qu'elle a vraiment réalisé la gravité de son état. Elle a peur que ce qui s'en vient soit trop exigeant pour elle. Mais comment pourrait-elle se plaindre quand Zachary prend soin d'elle depuis tant d'années ? Ce n'est pas avec sa petite pension qu'elle aurait pu vivre aussi bien. Zachary a toujours été d'une générosité incroyable envers elle, jamais il ne lui a reproché le peu d'argent qu'elle amenait dans leur maisonnée. Elle ne va certainement pas lui faire faux bond maintenant qu'il a vraiment besoin d'elle.

La visite de Karine n'a pas été sans conséquences. La nuit suivant la rencontre, vers deux heures du matin, Ingrid et Olivier se sont fait réveiller par des cris horribles, des hurlements de terreur, comme si Mélina se faisait écorcher vive. Un instant plus tard, ils étaient dans la chambre. Mélina était assise dans son lit, les yeux ouverts dans le vide, hurlant. Ingrid l'avait prise contre elle pour la rassurer. La fillette s'était réveillée en sursaut, avait regardé Ingrid et Olivier penchés sur elle et, apeurée, avait éclaté en sanglots. Depuis, Mélina fait des terreurs nocturnes presque toutes les nuits. Ingrid et Olivier ont appris qu'il ne fallait pas la réveiller. Ils la regardent maintenant crier, puis, après un moment, elle se tait, se recouche et poursuit sa nuit. Le lendemain matin, elle n'a aucun souvenir de ces moments si intenses. Ingrid blâme secrètement Karine pour cela. Plus jamais elle n'imposera ces visites à sa fille. Elle veut convaincre Céline qu'il n'est désormais plus possible de mettre Mélina en contact avec sa mère naturelle. Les effets sont trop négatifs sur la fillette. Outre les terreurs nocturnes, Mélina ne mange plus que des pâtes. Matin, midi et soir. Impossible de lui faire manger quoi que ce soit d'autre. Au début, Ingrid était au désespoir, inquiète que la fillette n'ait pas tous ses nutriments, puis elle a cessé de vouloir la forcer et a trouvé des trucs pour passer des légumes et des protéines incognito dans les macaronis, spaghettis, pennes et autres. Elle est devenue Ingrid-la-magicienne et son meilleur allié est le mélangeur. Elle y passe du tofu et des légumes de couleur neutre parce qu'il n'est pas question de servir des spaghettis vert brocoli à une Mélina qui se braque. Bref, l'incursion de Karine dans leur vie a laissé des séquelles et elle fera tout pour que Céline le comprenne.

Plus la date de l'audience se rapproche et plus Maria devient stressée. Toute sa vie, et celle de Fred par ricochet, tourne autour de sa préparation. Elle ne vit plus, dort mal, s'est fait accuser de manquer d'attention par ses patrons où elle fait ses ménages. Maria n'est pas facile à vivre. Mais Frédérick endure tout, car, pour lui, c'est une révélation de constater à quel point la vie peut être difficile pour certains. Il réalise sa chance d'être né dans un pays calme, dans une famille aisée, de ne pas avoir peur des ennemis de la famille et de pouvoir dormir sur ses deux oreilles.

Un matin, à peine Maria est-elle sortie qu'Alexis fait une remarque sur l'humeur massacrante de la jeune femme. Fred rétorque sèchement.

— T'essaieras ça, toi, d'être à la merci d'un comité pour ta survie. Imagine-toi que tu dois faire des ménages pour vivre, que des gens que tu connais pas peuvent te renvoyer dans ton pays pour te faire assassiner. Après ça, on verra si tu as bon caractère.

— Je suis désolé, Fred, a platement répliqué Alexis.

La veille de son audience, Maria ne ferme pas l'œil de la nuit. Elle révise ses notes, boit café sur café et marche de long en large dans la petite chambre qu'elle partage avec Fred. Le matin, elle s'habille sobrement, se maquille discrètement, comme le lui a conseillé son avocat. Elle se place devant son amoureux.

— J'ai l'air de quoi?

— T'es impeccable, Maria.

— Certain?

— Cent pour cent certain.

Elle se touche l'estomac.

— J'ai une boule ici.

— C'est la nervosité. Mais tu peux pas être plus prête que ça.

— C'est vrai.

— Ça va bien aller.

— J'espère, répond Maria d'une voix angoissée.

— Tu vas faire ça comme une championne, c'est certain.

Fred prend Maria dans ses bras et la serre très fort, comme pour lui transmettre toute son énergie.

Zachary ouvre la porte à ses trois petits-enfants qui se sont donné le mot pour le visiter tous en même temps. Depuis l'annonce de la maladie de leur grand-père, Ingrid est venue faire son tour une fois avec Olivier et Mélina. La présence de la petite avait fait une belle distraction pour égayer l'atmosphère et permettre d'éviter les sujets plus sombres, mais à cause des nouvelles responsabilités parentales d'Ingrid, le temps lui a manqué pour revenir les visiter. Quant à Brian et Frédérick, ils ne s'en sont pas parlé, mais chacun d'eux craignait d'y aller seul. Et si Zachary avait vraiment changé, s'il n'était plus possible d'avoir une conversation avec lui? Heureusement, l'homme qui les accueille est bien leur grand-père, tout sourire, leur ordonnant d'entrer de sa grosse voix. Il a peut-être un peu maigri, mais à peine. Comme toujours, ils se retrouvent à la cuisine pour jaser. Marthe sert du thé et de la tarte. Zachary est visiblement très heureux de les voir. Il leur pose des questions sur leur vie, semble n'avoir rien oublié. Ingrid observe Marthe qui est beaucoup plus silencieuse que d'habitude. Elle se promet d'en parler à Olivier pour qu'il revienne voir sa grand-mère et s'assurer que tout va bien pour elle.

Tout le monde met un peu trop d'enthousiasme et s'assure que la conversation reste active, qu'il n'y aura pas de silences inconfortables. Marthe demande des nouvelles de Marie-Pier, et Brian les rassure : c'est difficile mais elle est forte. Ingrid est un peu vexée de ne pas pouvoir parler à sa meilleure amie, mais Brian lui dit qu'elle ne parle à personne et qu'elle la contactera quand elle sera prête.

— Faut que tu respectes ça, Ingrid.

— Je sais, mais je voudrais être là pour elle.

— C'est pas ça qu'elle veut.

Puis, alors que tous évitent soigneusement le sujet, c'est Zachary qui décide de parler de sa maladie.

— Il y a un éléphant dans la pièce, hein ? Je ne suis pas si malade, vous savez.

Tout le monde le rassure. « Ben non ! On le voit bien », disent-ils en chœur.

— La dernière chose que je veux, c'est que vous ne veniez plus me voir parce que vous savez pas comment vous comporter avec moi. J'oublie des affaires des fois, mais je resterai toujours votre grand-père. Pis je ne veux pas vous perdre de vue.

Les jeunes secouent vigoureusement la tête en signe de négation.

— Ben voyons, grand-papa, jamais on va te laisser tomber ! s'exclame Frédérick et les autres renchérissent.

Quand ils partent, deux heures plus tard, ils restent un moment dans le stationnement.

— Je suis tellement soulagé. Il est moins pire que je pensais, dit Brian.

— Peut-être que le diagnostic est exagéré, ajoute Frédérick.

— Je comprends que vous préfériez être rassurés, mais je pense qu'on est juste tombés sur un bon jour, dit Ingrid.

— Toi, tu es défaitiste, lance Frédérick.

— Ah oui ? Avez-vous regardé Marthe ?

— Marthe est pas malade, répond Brian du tac au tac.

— Non, mais elle s'occupe de lui. Si vous aviez juste un petit peu le sens de l'observation, vous auriez vu qu'elle a l'air épuisée.

— Tu trouves ? fait Brian, incertain.

Les deux gars essaient de revoir Marthe, tantôt, dans la cuisine.

— Elle est voûtée, elle a les traits tirés.

— C'est vrai qu'elle était peut-être un peu plus nerveuse que d'habitude, convient Frédérick.

— Il va falloir s'occuper d'eux plus que ça, décrète Ingrid, en se disant en son for intérieur que Mélina occupe déjà tout son temps.

— C'est sûr, répond Brian, pensant que ça ne peut pas tomber plus mal, car il doit faire des allers-retours constants entre Montréal et Québec pour être auprès de Marie-Pier.

— Je vais trouver le moyen de venir plus souvent, promet Frédérick, se disant que ça ne sera pas facile de venir de Sherbrooke régulièrement.

Zachary et Marthe ne remarquent pas que les jeunes s'attardent dans le stationnement. Marthe est très surprise de l'attitude de son gros lion devant ses petits-enfants. Il a eu comme un sursaut de lucidité. Ça fait longtemps qu'elle ne l'a pas vu aussi bien. Un heureux hasard, elle a assez lu sur l'Alzheimer pour savoir que ça ne se contrôle pas quand on en a envie. Elle est ravie que ses petits-enfants l'aient vu aussi en forme. Mais elle s'aperçoit bien qu'il est vanné. Il s'est assis sur une chaise et n'a pas bougé depuis plusieurs minutes.

En effet, Zachary est épuisé par cette visite. Il est étonné de la quantité d'énergie qu'il lui a fallu pour parler à ses jeunes. Il a l'impression d'avoir accompli un marathon.

— C'était une belle visite.

— Très belle, confirme Marthe.

— J'ai été correct, hein ? s'inquiète-t-il.

— Impeccable, mon gros lion.

Zachary lui sourit et semble partir un moment. Marthe ne le dérange pas, il ne réagit pas bien lorsqu'elle le sort de ce qu'elle appelle « ses rêveries ». Il se sent humilié et s'emporte. Elle va sortir son panier de reprisage, car elle n'a rien à ramasser, les enfants ont tout fait avant de partir. Zachary émerge et se lève.

— Je vais aller faire une sieste, Dorothy.

— D'accord, répond Marthe.

Ça fait quelques fois qu'il l'appelle du nom de sa première femme, la mère de William, décédée il y a plusieurs années. Au début, elle l'a repris, mais Zachary ne comprend pas son erreur, se braque et se choque. Maintenant, elle laisse passer.

— Tu me réveilleras pour le lunch.

— Bien sûr, fait Marthe même s'il est seize heures.

Les colocs attendent Maria avec impatience. Tout le monde a hâte de savoir comment s'est déroulée l'audience. C'est une Maria souriante qui revient à l'appart. Fred a le cœur en fête en la voyant.

— Ça s'est bien passé ?

— Oui, répond Maria modestement.

— Je le savais ! s'écrie le jeune homme en la prenant dans ses bras.

Maria raconte que, bien qu'elle ait été immensément nerveuse avant d'entrer dans la salle, une fois l'audience commencée, elle s'est sentie sûre d'elle. Un peu comme un artiste qui a le trac, puis qui se sent bien sur scène. Son avocat ne veut rien prédire, mais il a été très satisfait de sa performance.

— Je reprends confiance. Et je veux tous vous remercier pour votre patience avec moi ces dernières semaines. Je sais que j'ai pas été facile. Je m'en excuse.

Tout le monde a le goût de célébrer cette bonne nouvelle. Dix minutes plus tard, la bière et la tequila sont sorties, ainsi que les nachos et un des nombreux contenants de guacamole – la meilleure au monde selon Fred – préparée ces derniers jours par Maria pour passer son stress. Tout le monde lève son petit verre de tequila.

— À Maria!!!

Assise dans le bureau de la travailleuse sociale, en tête à tête avec Céline, Ingrid, gonflée à bloc, est prête à défendre son point de vue.

— Est-ce que Karine a demandé à revoir Mélina?

— Oui, répond Céline.

Ingrid a une montée de colère.

— J'espère que vous n'allez pas permettre ça, après ce qui s'est passé la dernière fois.

— Non, réplique Céline.

— Non quoi? Vous voulez qu'elles se revoient ou pas? Parce que je t'avertis, Céline, si vous obligez Mélina…

Céline pose une main rassurante sur le bras d'Ingrid.

— On a refusé.

La tension d'Ingrid descend d'un coup.

— Ah, fiou!

— On sait à quel point cette rencontre a troublé Mélina.

— Les terreurs nocturnes, les désordres alimentaires…

— Je sais, dit Céline.

— J'ai pas du tout parlé en mal de Karine à Mélina. Je te rassure tout de suite. Mais moi, elle, là…

— Sa vie est compliquée, pauvre Karine. Elle a plus de famille, ses parents sont décédés quand elle était toute petite et c'est sa grand-mère qui l'a élevée. Elle a eu une enfance difficile. Faut que tu comprennes que l'arrivée de Mélina dans sa vie a été à la fois une grande joie et une terrible complication.

— Qu'est-ce que tu veux dire ? demande Ingrid, tout de même intéressée par les origines de Mélina.

— Sa grand-mère était très malade, à ce moment-là. L'arrivée d'un nourrisson ne pouvait pas plus mal tomber. En même temps, c'était un évènement heureux pour Karine. Mélina était toute sa famille quand sa grand-mère est morte quelques semaines plus tard. À peine sortis de l'adolescence, sans ressources, elle et Steve, le père, ont réussi à la garder presque un an, mais ils ont recommencé tous les deux à prendre de la drogue. Finalement, Mélina a dû être placée en famille d'accueil. Karine et Steve ont eu le cœur brisé.

— C'est triste pareil.

— Oui, très.

— Peut-être qu'elle pensait pouvoir se reprendre en main si elle réussissait à ravoir sa fille.

— Peut-être, oui.

— Mais après ce qui s'est passé, elle peut pas revoir Mélina, tu me le jures ? demande Ingrid, encore inquiète malgré tout.

— C'est parce qu'elle a manqué deux rendez-vous avec nous et que, au dernier, elle n'était pas en état, disons, précise Céline.

— Ah, je comprends…

— C'est bien triste, tout ça, dit Céline.

— Oui, mais je pense que ça va être mieux pour Mélinette, dit Ingrid. Et pour moi aussi. Je peux pas te dire le stress que j'ai vécu.

— Je sais, oui. Mais ça fait partie des possibilités quand on a un enfant en banque mixte, tu le sais.

— Oui. Le père de Mélina, il fait quoi ?

— Il est venu la voir quelques fois quand elle était avec Sophie.

— Oui, tu me l'as dit, mais ça fait un bout de temps qu'il s'est pas manifesté.

— Oui. Bon, si tu n'as pas d'autres questions, tu peux retourner t'occuper de ta poulette.

— Avec plaisir, répond Ingrid, soulagée.

Ingrid retourne chez elle le cœur plus léger qu'en arrivant.

Pendant ce temps, chez DuoBuzzz, Mélina et Buzzz-le-chat font la sieste, pelotonnés l'un contre l'autre, après avoir joué un bon moment ensemble. De temps à autre, Buzzz ouvre un œil pour s'assurer que tout va bien autour. Il voit Olivier les regarder et parler tout bas à Suzie.

— Suzie, regarde.

Suzie se tourne vers eux et sourit, attendrie.

— Sont trop *cute*. Ce chat-là est tellement extraordinaire.

— Oui, répond Olivier tout fier de son Buzzz-le-chat. J'en reviens pas qu'il soit si doux avec Mélina.

S'il pouvait rougir, c'est exactement ce que ferait Buzzz-le-chat. Olivier s'approche, téléphone à la main pour prendre une photo. Buzzz pose sa patte sur le petit bras potelé de Mélina et referme l'œil pour que la photo soit parfaite.

Chapitre 6

Les terreurs nocturnes s'espacent. Aussi terrifiantes pour les autres soient-elles, Mélina, elle, ne se souvient même pas de les avoir eues. Il faut simplement éviter de la réveiller et attendre que ça passe. De plusieurs fois par semaine, elle n'en a pas eu depuis presque deux semaines. Ingrid et Olivier sont soulagés de ne plus avoir leurs nuits ponctuées de ces cris affreux. Les repas ne sont pas faciles, par contre. Mélina est très capricieuse et refuse la plupart des aliments qu'Ingrid lui propose. Les nouveautés la rebutent instantanément. Dès qu'elle ne reconnaît pas ce qu'il y a dans son assiette, elle ferme la bouche hermétiquement et rien ne peut la convaincre de goûter. Elle a certains autres aliments en aversion, c'est le cas de la plupart des légumes cuits. Ingrid soupçonne Sophie de toujours avoir fait cuire les légumes trop longtemps et d'avoir ainsi créé cette répulsion. La nutritionniste qu'elle a consultée lui a suggéré de ne pas trop insister pour ne pas développer encore plus de barrières. Alors Mélina mange des pâtes, des légumes crus presque à chaque repas avec un plaisir renouvelé. Ingrid s'amuse à lui préparer toutes sortes de pâtes. Elles sont même allées à Montréal dans une épicerie italienne pour faire provision de spaghetti, penne, linguini, macaroni, vermicelles, mais aussi de pâtes que Mélina n'avait jamais vues : cappelletti, agnolotti, ditali, triangoli. Et comme elle adore les laits frappés, Ingrid ajoute des œufs et des graines de chia dans son lait aux amandes, qu'elle passe au mélangeur.

Avec le temps et la confiance qui s'installe peu à peu, Mélina se révèle être une petite fille douce, drôle et créative. Ingrid et elle peuvent passer des heures à bricoler, à jouer à la poupée et à faire du modelage. Mélina est plutôt bien intégrée maintenant et ils forment tous les trois une vraie famille. Depuis quelque temps déjà, Mélina dit « maman-Ingrid » quand elle s'adresse à Ingrid. Olivier, quant à lui, semble rester « Oli ». Puis ce matin, au moment où Olivier s'en va travailler, il entend la petite voix de Mélina lui dire :

— Bye, bye, papa-Oli.

Olivier se retourne et regarde Ingrid pour la prendre à témoin. Il a les yeux pleins d'eau.

— J'ai bien entendu ?

— Oui, oui, confirme Ingrid, tout sourire.

Olivier revient sur ses pas, prend sa fille dans ses bras et la serre fort contre lui.

— Bonne journée, ma belle grande fille.

Frédérick est plongé dans ses études quand Maria revient de travailler. En la voyant entrer dans l'appart, il sait que quelque chose ne va pas. Son visage est défait, elle a les yeux rouges, tout son corps est affaissé, comme si elle avait été tabassée. Il se lève aussitôt et va la rejoindre.

— Maria, qu'est-ce qui se passe ?

Maria éclate en sanglots. Entre deux hoquets, il finit par comprendre que ce qu'ils redoutaient est arrivé : le statut de réfugiée lui a été refusé.

— Non ! Je peux pas le croire.

— Oui. Mon avocat m'a téléphoné tantôt.

— Il faut faire quelque chose. On pourrait faire appel à leur décision?

— Non, c'est final.

— Mais ça se peut pas. C'est quoi, la prochaine étape?.

— Je dois quitter le Canada d'ici un mois.

— Quoi? laisse tomber Frédérick, livide.

Il est tellement sous le choc qu'il reste sans mot pendant un moment.

— *Me da pánico*[5], dit Maria.

— Je comprends donc! Moi aussi, je capote. On va trouver une solution.

— Il n'y en a pas, *mi amor.*

Marthe s'est procuré plusieurs jeux cognitifs. Des jeux de mots pour aider Zachary à rester actif, à exercer sa mémoire.

— On va joindre l'utile à l'agréable, c'est une bonne idée, ça, non?

Quand elle en a parlé, son gros lion était d'accord. Les premières fois, il y avait vraiment mis du sien. Mais plus ils jouent et moins il y prend plaisir. Aujourd'hui, ils ont entrepris une partie de Scrabble et elle le sent impatient.

— Je l'ai sur le bout de langue, ce mot-là, mais ça ne veut pas sortir, grogne Zachary.

— Relaxe, mon chéri, on a tout notre temps.

Il cherche encore, puis, de frustration, balaie le jeu du revers de la main. La planche et toutes les tuiles s'envolent et atterrissent sur le sol de la cuisine. Marthe reste bouche bée. Zachary sort de la pièce en maugréant.

— Je ne suis plus un enfant. J'ai fini de niaiser avec ces jeux-là.

---

5. Je panique.

Marthe se met lentement à genoux sur le plancher et commence à ramasser les lettres. Elle a beau vouloir rester positive, le découragement gagne du terrain.

Ingrid et Mélina sont attendues chez Julie pour le lunch. Une petite neige tombe sur Granby et c'est magique. Mélina trottine à côté de sa poussette et sort la langue pour attraper des flocons. Elles arrivent chez Julie, le visage rouge de froid.

— Oh, les belles pommes, dit Julie en embrassant Mélina sur les deux joues.

— Papy Willy! appelle Mélina en entrant et en allant dans le bureau de William, à peine ses bottes enlevées.

— Oh, ma cocotte, papy est pas là, répond Julie.

— Il est où? demande Ingrid.

— Il était en retard dans son écriture, il a décidé d'aller passer la semaine au chalet.

— Zut, pas de papy cette fois-ci, ma Mélinette.

Mélina esquisse une moue déçue.

— Je vais essayer de compenser, dit Julie en souriant. Venez! Mélina, tu devineras jamais quelles pâtes je t'ai préparées.

Après le lunch, Ingrid va coucher Mélina dans son ancienne chambre pour la sieste. Chaque fois, la petite veut qu'Ingrid lui raconte comment ça se passait quand c'était elle, la petite fille.

— Je couchais ici quand j'étais petite comme toi.

— Oui.

— Mamie Julie venait me border.

— Oui.

— Je dormais toujours super bien dans mon lit.

— Super bien, répète la petite. Chanson.

Ingrid borde Mélina et commence à chanter.

— «Ma mère chantait toujours, la la la, une vieille chanson d'amour, que je te chante à mon tour…»

La chanson n'est pas terminée que Mélina dort déjà. Ingrid sort de la chambre. Elle a descendu la moitié des marches quand on sonne à la porte. On sonne avec beaucoup d'insistance d'ailleurs.

— C'est correct, m'man, je vais ouvrir.

Elle entre dans le vestibule et referme derrière elle pour ne pas refroidir la maison. Elle ouvre et aperçoit devant elle la mère biologique de Mélina.

— Karine?

— Ouain.

La jeune femme a l'air passablement intoxiquée. Elle est peu habillée pour le temps qu'il fait: un jean à la cheville, des bottillons trempés par la gadoue et une petite veste de cuirette, pas du tout adaptée à ce jour de neige.

— Qu'est-ce que tu fais ici? Comment t'as su…

— Je savais que t'étais la fille de la madame de la pépinière. Je suis venue chercher Mélina, dit-elle, grelottante.

Plutôt que de paniquer ou de s'énerver, Ingrid se sent habitée par un grand calme. C'est elle, l'adulte responsable de Mélina, et elle va agir comme telle.

— Mais non, Karine, c'est pas possible.

— Oui, je la veux. Je suis sa mère.

— Il faut organiser les visites avec le centre, tu le sais bien.

— J'ai parlé à Céline, pis elle a dit que c'était correct, rétorque Karine.

— J'ai eu aucune consigne dans ce sens-là.

Karine se frotte les bras pour se réchauffer.

— Je peux-tu au moins la voir?

— Non, désolée, elle fait la sieste, répond Ingrid.

— Tu l'as enfermée, c'est ça. Elle est dans une garde-robe, pis…

Julie entre dans le vestibule à ce moment-là.

— Qu'est-ce qui se passe? fait Julie.

— Il se passe que je suis venue chercher ma fille, OK, là?! crie Karine qui en profite pour pénétrer dans le vestibule.

— C'est la mère biologique de Mélina.

— Ouain, confirme Karine en s'allumant une cigarette. Pis je partirai pas d'ici sans avoir vu ma fille, OK ?

— Tu peux la gérer encore quelques minutes ? demande Julie à Ingrid.

— Oui, oui, confirme Ingrid. Qu'est-ce que tu veux faire ?

Julie ne répond pas et retourne dans la maison.

— Karine, il faudrait que tu partes maintenant.

— Non. Je veux être certaine que ma fille est correcte.

— Elle va bien, elle dort.

Karine contourne Ingrid et ouvre la porte du vestibule.

— Mélina, c'est maman, crie-t-elle.

Ingrid la tire en arrière et referme la porte. La colère monte.

— Là, Karine, tu vas partir maintenant. C'est assez.

À cet instant, une voiture de police s'arrête devant la maison. Karine regarde Ingrid, incrédule.

— T'as appelé les bœufs. Je peux pas croire. Ostie de conne.

Un policier s'approche.

— Ça va ici ? vérifie-t-il.

— Non, répond Ingrid. Pas du tout.

Elle entreprend d'expliquer la situation au policier et va chercher une copie du document donné par la DPJ prouvant qu'elle est la famille d'accueil de Mélina. Elle se félicite de traîner ce papier avec elle en tout temps. Le policier prend connaissance du document et entraîne Karine vers son véhicule en jasant calmement avec elle. Karine tente de justifier sa démarche, mais elle est un peu confuse à cause de son état. Julie vient rejoindre Ingrid.

— Merci d'avoir appelé la police.

— C'était la seule chose à faire, répond Julie.

— Vous pouvez entrer chez vous, mesdames, dit le policier à Ingrid et Julie. On s'en occupe. On communiquera avec vous plus tard.

Mère et fille entrent dans la maison.

— J'ai vérifié, Mélina dort comme un ange. Elle ne s'est rendu compte de rien, dit Julie.

— Fiou, c'est ça qui me faisait le plus peur. Elle a tellement réagi la dernière fois qu'elle l'a vue.

Julie regarde sa fille.

— Quoi? demande Ingrid.

— T'as eu une réaction incroyable. Calme, ferme. Tu m'impressionnes.

— Ah oui? Tu trouves? dit Ingrid, flattée.

— Tellement, confirme Julie. Maman Ours à la défense de bébé ourson.

Elles rigolent de cette comparaison.

— On rit, mais je me suis un peu sentie de même.

— Je sais, confirme Julie avec un sourire affectueux.

Marthe est surprise de voir arriver Zachary dans la cuisine, tout sourire. Ça contraste avec son humeur de la dernière semaine.

— Le souper est presque prêt, annonce-t-elle.

— J'ai une bonne nouvelle.

— Ah oui?

— En fouillant sur Internet, je suis tombé sur ceci.

Il tend fièrement une impression de page Web. Marthe prend la feuille et lit le texte en anglais. On y promet une guérison miraculeuse de l'Alzheimer. Il est question de pilules composées d'ingrédients entièrement naturels, de balados qui régénèrent les cellules du cerveau et de livres aux méthodes inédites pour stimuler la mémoire durablement. Marthe est découragée. Elle ne peut pas croire que son lion, d'habitude si sceptique, se soit laissé prendre par cette arnaque. Marthe regarde Zachary. Il y a tant d'espoir dans ses yeux qu'elle n'ose pas dire le fond de sa pensée.

— C'est formidable, non?

— Ça a l'air intéressant, mais…

— Mais quoi? demande Zachary, aussitôt sur la défensive.

— Mais peut-être qu'on devrait vérifier.

— J'ai lu plusieurs témoignages et des commentaires de médecins… On peut pas attendre trop longtemps, il y a un spécial qui
se termine demain. À moitié prix, ça vaut le coup. C'est un traitement de six mois.

— OK… répond Marthe ne sachant pas comment se comporter devant cette toute nouvelle crédulité.

— Ça va me prendre la carte de crédit.

— Est-ce qu'on peut faire ça après le souper?

— Oui, oui. Maudit que je suis content. Je vois la lumière au
bout du tunnel.

Marthe lui sourit en se disant qu'il n'est pas question qu'elle le
laisse se faire flouer ainsi.

Depuis une semaine, Frédérick et Maria vivent avec un épais
nuage noir au-dessus de leur tête. Frédérick est complètement ob-
sédé par le refus du comité. Maria, quant à elle, semble se résigner
un peu plus chaque jour. Frédérick a reparlé de partir avec elle, du
mariage, du parrainage, mais Maria, prise dans son orgueil et
dans sa peur de passer pour une profiteuse, lui a toujours servi des
«non» sans appel. Un soir, Maria revient de son travail avec un air
déterminé.

— Freddy, *mi amor*, j'ai beaucoup réfléchi.

— Oui?

— Est-ce que ton offre tient toujours? Le mariage et le
parrainage.

— Bien sûr que oui!

— Alors je crois bien que je vais accepter.

— Oh, Maria, je suis tellement heureux que tu acceptes enfin!

— Tu sais que tu me sauves la vie.

— Tu sais que je veux qu'on se marie, pas seulement pour l'immigration. C'est surtout parce que je t'aime.

— Je t'aime aussi, mon Freddy!

C'est une Marthe paniquée qui accueille William le lendemain matin.

— Oh, mon dieu, William, j'ai réussi à le faire attendre hier soir, mais il va revenir à la charge avec son traitement miracle.

— Je m'en occupe, Marthe. Vous pouvez relaxer. Il est où, en ce moment?

— Dans le garage.

— Je vais aller le rejoindre.

— Je ne sais pas comment te remercier…

— Voyons, c'est normal.

Quand William arrive dans le garage, il trouve son père assis, les yeux dans le vague.

— P'pa…

Zachary se tourne vers lui et, pendant un court instant, il semble à William que son père ne le reconnaît pas. Mais le vieil homme se redresse.

— Will! La belle visite.

— Qu'est-ce que tu faisais?

— Rien, mais je dis à Marthe que je viens bricoler.

— Ah bon.

— Ça la rassure de savoir que je peux encore faire des petits travaux.

— Mais tu les fais pas?

— Non. Ça me tente plus.

— Papa, je suis venu te parler de…

— De?

— Du traitement.

— Quel traitement?

William hésite à poursuivre. Son père semble avoir oublié la trouvaille qu'il a faite la veille sur Internet.

— Marthe a vaguement parlé d'un genre de remède que t'aurais trouvé sur Internet hier.

Zachary cherche dans ses souvenirs. Visiblement, rien ne vient.

— Ça me dit rien. Pis franchement, j'en ai assez avec mon médecin et les jeux que Marthe a achetés.

— OK, alors on n'en parle plus, répond William surpris et soulagé de s'en tirer à si bon compte.

William regarde son père. Il le trouve pâle.

— On va-tu marcher un peu ?

— OK. Mais pas trop longtemps, je me fatigue vite.

— Non, non. On revient dès que t'es tanné.

Père et fils sortent du garage et partent côte à côte. Le vieil homme de plus en plus voûté et le fils, grand, fort et protecteur, qui pose sa main sur l'épaule de son père.

La session est enfin terminée et Frédérick se consacre entièrement à l'organisation du mariage et de la demande de parrainage. Il n'y a pas de temps à perdre : rencontres avec l'avocat de Maria, discussions avec des spécialistes en immigration, des heures sur Internet pour comprendre le fonctionnement de tout ça. Frédérick et Maria doivent prouver que leur relation est vraie, que ce n'est pas seulement pour faciliter le parrainage. Frédérick contacte leurs amis pour obtenir des photos d'eux depuis les premiers temps de leur rencontre, demande à ses colocs de signer des lettres confirmant que Maria habite avec eux depuis plusieurs semaines maintenant. Leur relation est toute jeune et les pièces prouvant qu'ils sont vraiment un couple ne sont pas légion. Mais Maria a retrouvé son enthousiasme. Elle met tous ses espoirs dans ces deux ultimes démarches. De son côté, Frédérick n'en a pas encore parlé à sa famille. Pas même à Brian. Il prévoit leurs réticences et attend le bon moment.

Ingrid a été convoquée par Céline. Elle arrive avec quelques minutes de retard à cause de la tempête.

— Je veux te parler de Karine.

— OK, répond Ingrid, prudente.

— Karine est venue signer son consentement à l'adoption, hier.

— Hein ? Pour vrai ?

— Oui.

Ingrid accueille cette information comme une très bonne nouvelle.

— Qu'est-ce qui l'a décidée ? Chez mes parents, l'autre fois...

— Je pense que cette visite-là a beaucoup joué dans sa décision. Quand elle a dégrisé, elle a réalisé ce qui aurait pu se passer si elle avait récupéré sa fille dans l'état où elle était.

— Ah.

— C'est pas la première fois qu'elle pense à signer le consentement. Elle est venue ici au moins deux fois avec cette intention-là, mais elle changeait d'idée à la dernière minute.

Soudainement, Ingrid ne ressent plus autant son bonheur que Mélina soit un peu plus à elle, mais plutôt l'immense peine que Karine a dû ressentir.

— Pauvre elle, ça a dû être tellement difficile de décider ça.

— Oui. Mais elle est maintenant persuadée qu'elle ne pourra pas s'occuper convenablement de sa fille. On lui a parlé de toi, elle t'a rencontrée... Elle pense que Mélina va être mieux avec vous deux, sans elle. Et elle trouve ça trop déchirant de la voir une fois de temps en temps, de se rendre compte chaque fois que Mélina se souvient de moins en moins d'elle. Elle fait ça pour le bien de sa fille.

— Mais c'est tellement triste...

— Oui.

— Et si elle veut la voir, dans quelques années ?

— Elle pourra plus. Signer le consentement, c'est renoncer complètement au lien de filiation.

Un long silence s'installe entre elles.

— Je peux pas dire que je suis pas soulagée, par contre.

— Mélina a encore un père. Il ne s'est pas manifesté depuis que tu l'as, mais il la voyait quand elle vivait chez Sophie.

— Je sais, répond Ingrid.

— Mélina est en banque mixte, Ingrid, dit Céline avec patience et douceur.

— Je sais, je sais, répète-t-elle. Mais le délai finit en mars. C'est dans même pas trois mois.

— Le projet de vie d'un enfant, c'est d'abord avec ses parents biologiques. Je suis pas obligée de te rappeler ça, hein ?

— Non, non.

Ingrid quitte le centre en éprouvant des sentiments mitigés. Bien sûr qu'ils ont été avisés, dix fois plutôt qu'une, de la signification de la banque mixte, qu'il y a toujours des chances que Mélina retourne dans sa famille d'origine, mais elle est si attachée à la fillette, ils sont tellement heureux tous les trois.

Quand elle annonce la nouvelle à Olivier ce soir-là, ce dernier réagit avec tellement de joie qu'il en devient contagieux. Ingrid en oublie un peu son inquiétude.

❧

C'est un 25 décembre comme dans les films. Il fait -5 °C, il tombe une neige à gros flocons et la lune quasi pleine éclaire tout de manière magique.

Comme c'est la tradition depuis toujours chez les Harrison, toute la famille se réunit chez Julie et William le soir de Noël. Les Noël Harrison sont faits d'un mélange de traditions immuables et de nouveautés. Ainsi, deux sapins garnis de lumières multicolores accueillent les invités, de part et d'autre des marches de l'escalier extérieur, un père Noël, le même depuis toujours, est accroché à la porte. À l'intérieur, la rampe de l'escalier est ornée de faux sapinage et de petites lumières blanches. Il y a plusieurs décorations acquises au fil des années, disséminées un peu partout dans la maison, auxquelles s'ajoute parfois une nouveauté. Un grand sapin naturel trône dans le même coin du salon, avec les mêmes décorations depuis toujours. Tous sont conviés au coucher du soleil, autour de seize heures quinze, et William accueille son monde avec une coupe de champagne. Il y a quelques années, ils se sont entendus pour laisser tomber les cadeaux, ça enlève du stress à tout le monde. Cette fois, on a décidé de faire exception pour Mélina. Ingrid et Olivier auraient préféré qu'elle n'ait pas de cadeau non plus, pour éviter la surconsommation et parce que la fillette a eu ses cadeaux la veille du réveillon avec eux, mais Julie et Marthe ont insisté.

Tout le monde est réuni dans le salon, verre de bulles à la main, et la conversation va bon train. Il ne manque que Marie-Pier, qui a décidé de rester à Montréal. Tous ont compris qu'elle ne va pas bien et n'a pas la force de se retrouver avec sa belle-famille, même si sa meilleure amie y est et même si elle se sait aimée de tous.

Chacun tente d'inclure Zachary dans les conversations, mais sans grand succès. Le vieil homme est assis dans le fauteuil le plus éloigné et semble plus ou moins écouter. Marthe se dit que ça doit être très difficile pour lui, tant de bruit, tant de monde. En effet, Zachary se demande ce qu'il fait là, se dit qu'il serait tellement mieux, tranquille chez lui. Depuis tantôt, il cherche le nom de son petit-fils, le plus jeune. Impossible de se le rappeler. Et qui est cette jeune femme aux longs cheveux noirs ? Aucun souvenir.

Frédérick a choisi cette occasion pour présenter Maria à sa famille. Malgré toutes les conversations qu'ils ont eues pour rassurer Maria, pour la convaincre que les Harrison allaient l'aimer, celle-ci était très nerveuse de rencontrer sa belle-famille. Après une heure, elle semble déjà plus détendue. Julie et William ont été vraiment gentils avec elle et ont tout fait pour la mettre à l'aise. En ce moment, elle est en grande conversation avec Ingrid. Frédérick sourit, heureux.

Olivier observe sa grand-mère. Elle vient tout juste de se rapprocher de Zachary, sentant probablement l'insécurité de son amoureux. Olivier n'avait pas vu Zachary depuis un bon moment et il a été surpris du changement qu'aucun des Harrison ne semble voir. Il a maigri et sa posture a changé. Lui si droit, si assuré et si impétueux, semble tassé sur lui-même. *Je ne peux croire que personne n'a remarqué ça.* Mais le pire, c'est son regard. Toujours un peu embrouillé, jamais vraiment au focus et toujours des réponses à retardement quand on lui parle. Avec son travail et la présence de Mélina, Olivier n'a pas trouvé le temps d'aller voir sa grand-mère depuis quelques mois. Il lui parle régulièrement au téléphone, mais ce n'est pas comme en personne. Il se promet de le faire rapidement.

Julie revient de la cuisine, cuillère en bois à la main, linge à vaisselle sur l'épaule.

— Le souper est prêt!!

La teneur du repas est toujours gardée secrète jusqu'au moment de se mettre à table. Julie et William se surpassent chaque année. Tout le monde se déplace pour s'installer à la table de la salle à manger. William est debout devant sa place au bout de la table.

— Chère famille, cette année, à ma demande expresse, on a décidé de faire un repas classique.

— Une dinde! s'exclame Frédérick.

— Exactement, répond William. Avec la farce, les atocas et les pommes de terre bouillies. Je ne me souviens plus de la dernière fois où on a fait ce menu-là. Je trouve que ça tombe bien puisque Maria est avec nous pour son premier Noël au Québec. Tu vas manger le traditionnel repas de Noël, ma belle.

— Viens m'aider, monsieur Tradition, crie Julie de la cuisine.

Quelques minutes plus tard, William revient avec une immense assiette de service sur laquelle trône une dinde parfaitement rôtie, entourée d'une montagne de légumes et de pommes de terre bouillies, comme promis. On s'exclame, on applaudit et on sort les téléphones cellulaires pour prendre des photos.

Puis la soirée se met peu à peu à déraper. Le premier incident vient de Zachary. Depuis le début du repas, William jette un œil sur son père de temps à autre. Son attitude l'inquiète, il a souvent l'air perdu. *Il empire.*

— Papa ?

— Oui ?

— Ça va ? Est-ce que tu aimes la dinde ?

— Oui, répond Zachary.

Zachary reste un instant silencieux et, des yeux, fait le tour de la table.

— Lambert est pas là ?

Un silence atterré tombe sur la tablée. On se regarde, décontenancé. Il n'y a que Maria à ne pas comprendre ce qui se passe. William se ressaisit.

— Papa, Lambert est décédé il y a dix ans.

Zachary regarde son fils, les yeux ronds.

— Ah oui ?

Puis il se reprend et tente de répondre avec plus d'assurance.

— Ben oui, c'est ben trop vrai. Passe-moi donc les atocas, Ingrid.

Malgré les efforts de chacun pour que tout redevienne normal, cette allusion a plombé l'atmosphère. Les enfants ne peuvent plus se faire croire que ce n'est pas si pire pour Zachary, que l'Alzheimer ne le tient pas encore, cette petite question a remis les pendules à l'heure. Pour William et Julie, qui le voient plus régulièrement, c'est la première fois qu'ils constatent une aussi grande dégradation.

Le deuxième incident survient au moment d'ouvrir les cadeaux. Pendant que tout le monde passe de la salle à manger au salon, Maria tarde à se joindre à eux, occupée à dessiner avec Mélina. En entrant dans la pièce, Brian s'exclame, en réalisant qu'il y a une bonne douzaine de boîtes au pied de l'arbre.

— On n'avait pas dit qu'on se donnait pas de cadeaux ?

— Oui, oui, dit William.

— Ben là, il y a plein de boîtes, renchérit Frédérick.

— C'est pour Mélina, répond Julie.

— Maman, t'es pas sérieuse? dit Ingrid, découragée devant la quantité de paquets.

— Quoi? fait Julie, surprise.

— On avait demandé qu'il y ait pas trop de cadeaux, répond gentiment Olivier, qui voit sa blonde commencer à s'énerver.

— C'est pas seulement moi, il y a les cadeaux de Marthe aussi et de Brian et de Fred.

Mais Ingrid est vraiment agacée que sa demande n'ait pas été respectée.

— Marthe, Brian et Fredo, ça fait trois. Le reste est de toi, douze cadeaux. Pour vrai? Douze cadeaux, tu trouves ça raisonnable?

— Ben là, Ingrid, tu vas pas me chicaner pour ça, dit Julie, légèrement.

— Je trouve ça poche que tu respectes pas ma demande.

— C'est-tu si grave que ça, ma chouette? intervient calmement William.

— Oui. Trop de cadeaux, c'est aussi pire que pas assez. Elle n'appréciera pas. Elle va vouloir ouvrir le suivant plutôt que de profiter de celui qu'elle vient d'ouvrir. J'ai déjà vu ça chez une de mes amies. Le petit gars était comme un junkie devant un sac de drogue.

— Tu peux pas nous reprocher de vouloir faire plaisir à Mélina le soir de son premier Noël avec nous, se défend Julie, agacée à son tour.

— Justement, ça ne lui fera pas plus plaisir que d'en avoir eu un ou deux.

— Ingrid... commence William.

— Je sais que j'ai l'air trop sévère, mais il y a toutes sortes de choses qui se vivent pas aussi facilement avec Mélina qu'avec un enfant ordinaire, dit Ingrid en baissant le ton pour que la fillette ne l'entende pas de l'autre pièce. Les évènements qui l'affectent, positifs ou négatifs, ont un gros effet sur elle. Pis c'est pas facile à gérer.

— Ingrid, peut-être que pour cette fois-ci… tente de plaider Olivier.

— Non! Qui va devoir vivre avec les crises après, hein? C'est nous. Fait que…

Julie se dirige vers l'arbre.

— Je vais en enlever alors.

— Ben là, Julie, dit William.

— Oui, maman, je trouve que c'est une très bonne idée, le coupe Ingrid.

La réaction d'Ingrid a refroidi un peu tout le monde. Mais une fois que Maria et Mélina se joignent au groupe, l'enthousiasme de la fillette à ouvrir ses cadeaux, ses éclats de rire et sa joie finissent par détendre toute la famille.

Et comme il n'y a jamais deux sans trois, c'est Frédérick qui crée le dernier incident de la soirée. Alors que William sert le digestif, que Mélina s'est endormie dans les bras de Marthe, Fred cogne sur son verre avec une cuillère et demande l'attention de tous.

— Attention, attention!

On se tourne vers lui en se demandant ce que le p'tit Frédo a tant à dire.

— Mon doux, Fred, ça a ben l'air solennel, ton affaire, dit William, amusé.

— Ben, on peut dire que ça l'est.

Il prend Maria par le cou et annonce.

— Maria et moi, on a décidé de se marier. On va faire ça en janvier.

L'annonce surprend tout le monde.

— Bravo, dit Marthe timidement.

— Ben oui, bravo! enchaînent les autres, plus étonnés qu'enthousiastes.

— Vous avez pas l'air contents pour nous, lance Fred.

— Excuse-nous, Maria, dit William à la jeune femme. On est un peu surpris.

— Je comprends, monsieur Harrison, répond la jeune femme.

— Est-ce qu'on peut être étonnés, Fred? Tu nous présentes Maria pour la première fois et tu nous annonces votre mariage deux secondes après, dit Julie.

— Pis ça vous empêche d'être heureux pour nous, ça? rétorque Frédérick, vexé.

— On est contents, oui, mais pourquoi si vite? poursuit Julie.

— Parce qu'on est amoureux.

— L'amour, c'est plus fort que la police, s'exclame Zachary, un peu décalé.

— Est-ce que je peux te poser une question indiscrète, Maria? demande Julie.

— Bien sûr, madame.

— Est-ce que ce mariage a un rapport avec ton statut, ici au Canada?

— Oui, répond Maria sans broncher.

Brian se lève.

— Bon, qui veut venir marcher avec Maria et moi? Il fait super beau dehors, la p'tite neige pis toute.

— Ben non! proteste Frédérick.

— C'est une discussion que tu dois avoir, toi, avec les parents.

— Merci, Brian, dit William.

En quelques minutes, Brian, Ingrid, Olivier et Maria sont habillés et sortent. Zachary et Marthe restent assis à leur place. Mélina dort toujours comme une bienheureuse dans les bras de sa nouvelle mamie.

— C'est quoi, cette affaire-là?

— *Come on*, m'man, tu peux changer de ton, j'ai plus douze ans.

— Avec ce que tu t'apprêtes à faire, j'en suis pas certaine du tout.

— Bon. C'est quoi, là? Qu'est-ce qui fait pas ton affaire encore? demande Frédérick.

William intervient.

— Tu peux laisser tomber le ton arrogant, toi aussi, Frédérick.

— Mets-toi à notre place deux minutes, lance Julie. T'as vingt et un ans et tu veux parrainer Maria. C'est ça? C'est pour ça que tu veux la marier.

— Je veux la marier parce que je l'aime. Pis oui, je le fais un peu plus vite parce qu'elle risque la déportation.

Julie et William se regardent d'un air entendu, ce qui a l'heur d'agacer souverainement Frédérick.

— Quoi? fait-il d'un ton dur.

— Te rends-tu compte de la responsabilité que ça représente?

— Ben non, je suis un épais. J'embarque là-dedans les yeux fermés.

— Tu peux pas faire ça, s'exclame Julie.

— Ben certain que je peux. J'aimerais ça que vous soyez d'accord, que vous compreniez, mais je vais le faire pareil.

— Sais-tu combien d'hommes se font prendre chaque année dans des supposées histoires d'amour? demande Julie.

— Tu sais rien de Maria. Tu sais pas à quel point c'est quelqu'un de bien.

— Ben oui, ben oui, rétorque Julie, agacée.

— On peut-tu discuter calmement quelques minutes? exhorte William.

— Voir si ça a de l'allure de parrainer quelqu'un que tu viens tout juste de rencontrer, ne peut s'empêcher de poursuivre Julie.

— C'est toi qui ne comprends rien. Si elle retourne en Colombie, elle va être assassinée. C'est super *cool* comme perspective, hein?

— Mais c'est épouvantable. T'es certain de ça? s'inquiète Marthe.

— Oui. Son père, ses oncles, ses frères : ils ont tous été tués. Pis tu voudrais que je la laisse partir sans rien faire?

— Mais, Frédérick, c'est une immense responsabilité, dit Julie.

— Si elle part, j'y vais avec elle.

— Jamais de la vie! tranche Julie.

— Ben oui. Mais avant d'en arriver là, je vais tout faire pour qu'elle puisse rester.

— Elle connaît personne d'autre que toi, ici?

— Oui, mais personne qui peut la parrainer.

— Le mariage est peut-être pas nécessaire, tente William.

— Ça va ensemble.

Un long silence tombe.

— Je peux pas croire que tu t'embarques dans une affaire pareille avec une inconnue, soupire Julie.

— C'est loin d'être une inconnue. C'est ma blonde, on vit ensemble depuis trois mois.

— Première nouvelle, s'étonne William. Vous vivez ensemble? Avec tes colocs?

— Oui. J'attendais le bon moment pour vous le dire. Je voulais que vous la rencontriez d'abord.

— C'est de la folie, ce mariage-là. Je ne suis pas d'accord, dit Julie.

— Je te dis pas ça pour avoir ton accord, non plus. Je voulais faire un genre de *party* pour que toute la famille célèbre avec nous, mais si vous n'êtes pas d'accord, je m'en fous parce que…

— Parce que quoi? demande William.

— Parce que c'est fait depuis dix jours.

— Quoi? dit Julie, estomaquée.

— Fallait faire vite, le temps était compté avant qu'elle soit déportée. Avec le mariage et le parrainage, son expulsion est retardée en attendant qu'ils revoient son dossier avec cette nouvelle donnée-là. On s'est mariés à l'hôtel de ville de Sherbrooke le 15 décembre.

— J'ai mon voyage, laisse tomber William.

— Autrement dit, tu nous mets devant le fait accompli, ajoute Julie.

— Je fais ma vie, m'man. Je suis plus un enfant.

Les autres reviennent de leur promenade, Frédérick annonce à tous qu'il est déjà marié, personne ne sait trop comment réagir. On se force pour ne pas mettre Maria mal à l'aise. Bref, l'atmosphère est compromise et, à vingt-deux heures, tout le monde est parti. Jamais un souper de Noël ne se sera terminé aussi tôt.

Dans l'auto sur le chemin du retour, Marthe conduit lentement. Elle déteste être au volant la nuit, maintenant. Assis à côté d'elle sur le siège du passager, Zachary est silencieux. Elle se dit qu'il a bien changé, son gros lion. Il y a seulement quelques mois, il aurait réagi tellement plus vigoureusement à l'annonce du mariage du plus jeune de ses petits-fils. Aujourd'hui, elle n'est même pas certaine qu'il ait bien saisi tout ce qui se passe. Zachary se tourne vers elle.

— Dommage que Lambert n'ait pas pu être là.

— Hum, se contente de répondre Marthe, les larmes aux yeux.

Frédérick et Maria devaient rester à coucher, mais le jeune homme a finalement changé d'idée. Sur le chemin du retour, il tente de cacher son irritation envers ses parents.

— C'est la surprise, tu comprends.

— Oui, oui, répond Maria, pas dupe.

— Ils vont se faire à l'idée, tu vas voir.

— Je les ai tous trouvés très gentils, tu sais. Et je comprends qu'ils soient inquiets de ce que tu viens de faire. J'espère seulement qu'ils ne croient pas que je suis la vilaine réfugiée qui t'a manipulé pour pouvoir rester au Canada.

— Pas du tout. Ils sont juste surpris que je me sois marié sans leur en parler.

Maria est à moitié rassurée.

Julie et William ont fini de ramasser et se préparent pour la nuit.

— On la connaît pas, cette fille-là. Elle a l'air gentille, mais peut-être qu'elle profite de lui et de sa naïveté pour pouvoir rester ici.

— Peut-être pas non plus, nuance William.

— Toi, tu donnes toujours trop de crédit aux gens.

— J'ai trouvé qu'ils avaient l'air tous les deux amoureux, mais ça veut pas dire que je suis d'accord avec ce mariage-là. Et le parrainage qui va avec.

Julie s'assoit lourdement sur le bord du lit.

— Ton père qui se demande où est Lambert...

— J'ai manqué de m'étouffer. Il empire vraiment, répond William, soucieux.

— Ingrid qui me fait une crise pour les cadeaux.

— Ouain. Elle était pas contente, la nouvelle maman, dit William avec une mimique comique.

— Et Fred qui nous annonce qu'il est marié.

— C'est vrai qu'on a eu la totale, confirme William.

— Maudite soirée de marde !

***

Mélina ne s'est même pas réveillée quand Olivier l'a transportée de son siège d'auto à son lit. Ils l'ont déshabillée, ont changé sa couche et mise en pyjama et c'est à peine si elle s'en est rendu compte. Les jeunes parents sont tous les deux écrasés dans les fauteuils du salon avec un verre d'eau pétillante.

— Bizarre de souper de Noël, dit Ingrid.

— Mets-en. Tu y as pas été un peu fort avec ta mère pour les cadeaux ?

— Non.

— Elle faisait ça pour faire plaisir à Mélina, pas pour t'écœurer.

— C'est nous les parents de Mélina, c'est nous qui décidons ce qui est bon pour elle. Si je laissais passer cette fois-ci…

— Ben là, Ingrid, ta mère est pas débile.

— Non, mais elle est forte.

— Ah, OK, je comprends…

— Tu comprends quoi ?

— Tu voulais faire pipi sur ton territoire.

Olivier n'est pas totalement à côté de la plaque. Ingrid choisit d'en rire. Elle lui lance un coussin.

— Niaiseux !

— Niaiseux mais perspicace, complète Olivier en souriant.

CHAPITRE 7

Pour la première fois depuis qu'ils sont ensemble, Ingrid et Olivier n'ont pas fait la fête avec leurs amis le 31 décembre. Ils ont plutôt décidé de rester tranquilles au condo avec Mélina. Ils se sont levés tôt pour aller voir le premier lever du soleil de l'année au lac Boivin. Les trois, bien emmitouflés, collés les uns sur les autres pour se garder au chaud, ont attendu et fait un vœu secret pour la nouvelle année. Mélina a joué le jeu comme une grande. Puis Olivier a lu un mot qu'il avait préparé pour ce moment-là.

— Maintenant que j'ai la grande chance d'avoir deux femmes dans ma vie, j'ai pensé vous écrire un petit message pour partir la nouvelle année en beauté.

— Oh, Mélina ! s'exclame Ingrid, ravie. Papa Oli nous a préparé un discours. On est chanceuses, hein ?

Mélina tape des mains, sans trop savoir ce qu'est un discours, seulement contente de sentir Ingrid aussi heureuse. Olivier se lève, retire ses gants, sort une feuille de sa poche, la déplie et se penche vers les femmes de sa vie.

— Mes amours, la fin d'une année et le début d'une autre, ça force toujours un peu à faire des bilans et des souhaits. Mon bilan de l'année qui se termine est incroyable. DuoBuzzz a fait sa meilleure année depuis son ouverture, on se débrouille pas trop mal financièrement. Et même si le début de l'année a été difficile entre nous, Ingrid, la deuxième moitié a été merveilleuse. Mais l'évènement le plus fabuleux, c'est ton arrivée dans nos vies, Mélinette.

Une fois de plus, Mélina tape des mains.

— Non seulement tu es une petite fille exceptionnelle, gentille, forte et belle, mais tu as fait d'Ingrid une maman, de moi un papa et tu as transformé notre couple en famille. Et ça, c'est pas banal.

Olivier regarde Ingrid qui est si touchée qu'elle en a les larmes aux yeux. Il poursuit.

— C'est difficile à battre. Mais j'ai quand même un souhait pour la nouvelle année.

— Juste un?

— Oui! Que ça continue exactement sur cette lancée-là. Moi, je veux rien de plus.

— C'est trop vrai, Oli. On est tellement chanceux.

Alors que le soleil commence à monter dans le ciel de Granby, les trois se fondent en un grand câlin de famille, à l'épreuve du froid.

Marthe essaie d'intéresser Zachary à l'accompagner dans certaines de ses sorties, mais celui-ci ne veut plus sortir de la maison. Et comme Marthe hésite à le laisser seul, elle ne sort plus beaucoup, elle non plus.

— Marthe, est-ce qu'on a lunché?

— Oui, Zachary, ça fait à peine une heure. As-tu encore faim?

— Non, non, c'était juste pour savoir.

Deux minutes plus tard, il pose la même question. Deux autres minutes plus tard aussi. Cinq fois, elle a dû répondre en s'exhortant à ne pas s'impatienter. Marthe passe de l'impatience à la tristesse, de la tristesse à l'agacement et de l'agacement au découragement.

Le souhait d'Olivier se réalise en ce début d'année. Le bonheur semble s'être installé chez les Harrison-Brabant. Mélina est plus calme, fait ses nuits et commence prudemment à explorer autre chose que des pâtes alimentaires. Bientôt, le délai de placement sera terminé. Ils passeront alors devant un juge et pourront obtenir que la banque mixte devienne un projet d'adoption. Ingrid essaie d'oublier la dernière conversation qu'elle a eue avec la travailleuse sociale à propos du père naturel de Mélina. Elle n'en a même pas parlé à Olivier, de peur que cette menace ne devienne trop réelle s'ils en discutent. Pour le moment, elle garde cette peur pour elle et tente de ne pas trop y penser. *De toute façon, il ne s'est pas manifesté, il n'y a donc aucune raison de stresser,* se dit-elle constamment comme une prière qu'on récite en boucle pour se protéger d'un malheur.

Fred et Maria ont mis des heures et des heures à rassembler tous les documents, leurs photos de couple, celles de leur mariage, les courriels, les preuves d'examens médicaux, bref tout ce qui est essentiel pour compléter le dossier de parrainage et montrer que leur couple a un historique. Une fois complété, le dossier fait presque cent pages et ils réussissent à le déposer une semaine avant la date d'expulsion. L'avocat de Maria est impressionné par ce qu'ils ont réussi à accomplir en si peu de temps. Maintenant, l'attente commence et ça peut durer jusqu'à douze mois. Comme cette nouvelle étape retarde le départ de Maria, ils peuvent respirer un peu.

— J'ai un bon *feeling*, Maria.

— Il n'y a pas de garantie.

— Non, mais ce qui compte c'est que, pour l'instant, ton départ est reporté.

— Tout peut arriver n'importe quand. Ça, c'est stressant, dit Maria.

— Je pense que tu peux te détendre. Ça va prendre des mois avant qu'ils commencent à étudier ton cas. Prenons ça un jour à la fois, OK?

Maria lui sourit courageusement.

❧

— Bonjour, Ingrid, c'est Céline.

— Allô, Céline, répond prudemment Ingrid, soudain habitée d'un mauvais pressentiment.

Après les politesses d'usage et avoir pris des nouvelles de la petite, Céline plonge dans le vif du sujet.

— Le papa de Mélina, Steve, aimerait revoir sa fille.

Le cœur d'Ingrid ne fait qu'un tour. Même si elle a été avisée mille fois de cette possibilité, elle souhaitait quand même ne jamais entendre parler de lui. Après avoir abrégé la discussion puis raccroché sèchement le téléphone, elle habille Mélina et va rejoindre sa mère à la pépinière. Dès son arrivée, les employés se précipitent joyeusement sur la petite, qui est ravie d'être le centre d'attention, et proposent de s'en occuper pendant qu'Ingrid va voir sa mère dans son bureau. Ingrid accepte avec soulagement. Julie est au téléphone avec un fournisseur quand Ingrid se pointe. Ingrid s'assoit devant sa mère et attend en se rongeant un ongle. Julie raccroche enfin.

— Qu'est-ce qui se passe?

— Ça se voit tant que ça que je suis à boutte? demande Ingrid.

— Je t'ai tricotée, je te connais.

— Je suis stressée au max. Le père de Mélina veut la voir.

— C'est grave, ça?

— Tout à coup qu'il veut la reprendre!

— Wo! Wo! Tu n'appuierais pas un peu rapidement sur le bouton de panique?

— Peut-être, mais c'est de même. Je suis super inquiète.

— Ça fait des mois qu'il n'est pas dans sa vie, tente de la rassurer Julie.

— Il l'a vue quand elle vivait chez Sophie.

— Régulièrement ?

— Pas à ce point-là, je pense. Mais, quand même, ils se sont vus quelques fois. Il était là à son anniversaire d'un an. Regarde ben ça s'il veut pas être là à ses deux ans.

— C'est quand sa fête déjà ?

— Le 10 mars. Mais c'est pas ça, c'est que, s'il revient dans sa vie, ça peut compromettre la décision du juge.

— Est-ce que tu connais ses intentions ?

— Non. Mais j'ai un mauvais *feeling*.

— Tut, tut, tut. C'est pas un mauvais *feeling*, c'est ta peur.

— Oui, mais…

— Ingrid, reste calme et aborde la situation un peu moins émotivement. OK ?

— OK, répond Ingrid, docile, ne demandant qu'à se faire rassurer.

— Bon. C'est quand ?

— Il y a une rencontre supervisée la semaine prochaine.

— Peut-être qu'il veut juste la voir comme ça. Il le sait, lui aussi, que le délai tire à sa fin.

— Oui, mais…

— Ingrid, on se calme, j'ai dit. C'est pas parce qu'il décide qu'il veut ravoir sa fille que ça va se passer comme ça. Tu me l'as dit toi-même : ce qui compte, c'est le bien-être de l'enfant.

— Je le sais bien. Mais j'espérais tellement me rendre en mars sans problème. Je me sentais tellement près du but.

— Tu l'es encore.

Quand Ingrid revient chez elle, elle se sent plus calme. La discussion avec sa mère lui a fait du bien. De plus, elle est soucieuse de l'énergie qu'elle dégage, car Mélina y est très sensible, alors pas question de lui envoyer des ondes qui puissent la perturber. *Je vais me comporter en adulte et faire preuve d'ouverture, de sérénité et de maturité.*

※

On sonne à la porte. Marthe est ravie de voir Olivier, venu lui rendre visite. Peut-être aura-t-elle le courage de lui demander de l'aide. Marthe prépare le thé et ils s'installent sur la banquette pour discuter.

— Comment ça va, toi, mon beau garçon? commence Marthe.

— Ça va.

— Oups, tout ne roule pas comme tu veux. Ingrid? La petite? Le travail?

— C'est un mélange des trois, disons.

— Raconte-moi ça.

Et comme du temps où ils vivaient tous ensemble chez Étienne, Olivier se confie à sa grand-maman qu'il sait toujours accueillante et compréhensive.

— Ingrid est tellement stressée depuis que le père de Mélina s'est manifesté. Elle est complètement déraisonnable.

— Faut la comprendre.

— Oui, oui, j'essaie, mais c'est pas toujours évident. Des fois, je trouve qu'elle fait comme si elle était le seul parent.

— C'est parce qu'elle est tout le temps avec elle.

— Je sais. Pis c'est vrai que je suis beaucoup au bureau, ces semaines-ci.

Oli rapporte les dernières nouvelles concernant son associé et ami qui n'est pas facile à gérer lui non plus. Théo a des sautes d'humeur, s'absente régulièrement et sa relation avec Suzie est bancale, ces temps-ci. Cette dernière manque également de concentration et en mène moins large que d'habitude.

— Ça fait que je me retrouve avec pas mal toute la job.

— Pauvre Oli, ça doit pas être facile.

— Pas trop, non. Mais, en même temps, quand j'ai fait ma dépression, Théo a assuré pendant des mois. Alors je dis rien, pis je fais ce qu'il y a à faire.

— Mais tu n'as pas beaucoup de repos, ni chez toi ni chez DuoBuzzz.

— Ouain.

Marthe va chercher des petits gâteaux qu'elle a cuisinés la veille, ceux qu'Oli préfère. Ce dernier est tout sourire.

— Ça fait mille ans que j'en ai pas mangé.

— J'ai fait une double recette, tu vas pouvoir en rapporter chez toi.

— Et toi, grand-maman? Comment ça se passe avec Zachary? demande Olivier, se rappelant soudain la véritable raison de sa visite.

Marthe sourit bravement.

— Ça va.

— Oups, tout ne roule pas comme tu veux, fait-il en imitant sa grand-mère.

Les deux se sourient.

— T'as pas le droit de copier mes trucs pour me faire parler, dit Marthe, amusée.

— C'est pas facile pour toi, hein?

Après tout ce qu'il lui a raconté, Marthe n'a pas le cœur d'ajouter d'autres soucis sur les épaules de son petit-fils. Tout le monde a sa vie, tout le monde est occupé, tout le monde a ses problèmes.

— C'est surtout que les choses changent rapidement. Le fait que Zachary nous ait caché sa maladie si longtemps, ça donne l'impression que ça se détériore très, très vite. Mais c'est correct, mon grand. Je me débrouille bien. William est là souvent.

— Je pourrais pas faire quelque chose pour toi, moi?

— Non, pas du tout, répond Marthe avec conviction.

Quand Olivier repart avec son gros sac de petits gâteaux, il est rassuré et convaincu que sa grand-maman est correcte. À peine la porte refermée, Marthe éclate en sanglots, s'en voulant d'avoir caché à Oli à quel point elle est désemparée.

La rencontre avec Steve se passe mieux qu'Ingrid ne l'avait prévu. Mélina, qui se souvient de lui, réagit positivement. Elle semble même contente de le revoir. Ça rassure Ingrid et l'inquiète à la fois. Puisque ça ne tourne pas au drame comme avec Karine, au moins Mélina n'aura pas de réaction négative au retour à la maison, mais ça lui fait un pincement au cœur de voir sa fille encore attachée à ce père biologique qui ne s'occupe pratiquement pas d'elle.

Ingrid et Céline sont avec le père et sa fille dans la salle de rencontre. Ingrid examine Steve. Il est grand et très mince, maigre même. Il est aide-mécanicien dans un garage de Roxton Pond, ce qui explique ses ongles tachés de noir. Il fait plus vieux que ses vingt-deux ans.

— C'est beau, le linge que tu lui as mis, dit Steve à Ingrid.

— Oui, le bleu lui va super bien.

— Ça matche avec ses yeux.

Puis Steve regarde Céline.

— Elle a tellement grandi depuis la dernière fois que je l'ai vue. Hein, Milou? T'es rendue une grande fille.

Milou? C'est quoi ce surnom-là? Un nom de chien de bande dessinée. Franchement.

— Ça change vite à cet âge-là, commente Céline.

— Ouain, je resterai plus jamais aussi longtemps sans la voir.

Oh, mon doux! Qu'est-ce que ça veut dire, ça, exactement?

Céline sent la réaction d'Ingrid. Elle pose sa main sur son bras en signe d'apaisement. Ça fonctionne plus ou moins. Ingrid reste tendue pendant toute la rencontre.

Zachary vient tout juste d'aller s'étendre pour dormir. Il fait des siestes de plus en plus longues. L'autre après-midi, il est resté couché de treize heures à seize heures trente. Et il a fait une nuit complète ensuite. Lui qui n'avait besoin que de six heures de sommeil, avant. Marthe ne sait plus trop si elle préfère qu'il dorme comme une souche ou qu'il soit réveillé. Souvent, il est dans la lune, les yeux dans le vague et ça la fait paniquer. Comme s'il y avait un étranger dans la maison. D'autres fois, il a des moments de lucidité et elle retrouve son gros lion. Le pire, ce sont les petits gestes du quotidien qu'il ne fait plus parce qu'il oublie de les faire ou, pire, parce qu'il a oublié comment les faire. Marthe déteste cette affreuse maladie, ce cancer de l'esprit qui lui enlève peu à peu son homme.

Une fois Steve parti, Céline emmène Ingrid dans son bureau en demandant à une collègue de s'occuper de Mélina.

— Ingrid, tu peux pas être sur la défensive comme ça.

— J'ai peur, qu'est-ce que tu veux que je te dise.

— Je t'ai jamais caché tout ce qui vient avec la banque mixte.

— Non, non, je le sais.

— Mélina a le droit de voir son père.

— Je le sais. Est-ce qu'il t'a dit qu'il voulait la reprendre?

— Non, mais il ne veut pas renoncer à la voir.

— C'est quand même le boutte! Il se pointe pas pendant des semaines, pis dès que monsieur ressent le besoin de voir sa fille, hop! il revient dans sa vie.

— Non, non, Ingrid, je t'arrête là. Il est venu nous rencontrer trois fois avant qu'on lui permette de revoir Mélina.

— Tu m'as pas dit ça, dit Ingrid, déstabilisée.

— Parce que je savais pas s'il viendrait aux rendez-vous suivants. Il y a beaucoup de pères qui disent qu'ils veulent voir leur enfant, mais qui ne se rendent même pas au deuxième rendez-vous avec nous. Steve a été sérieux dans sa démarche.

— Est-ce que tu connais ses intentions ? Ses vraies intentions ? demande Ingrid.

— Ce qu'il me dit, c'est qu'il veut avoir accès à sa fille, affirme Céline.

— Mais pas la reprendre.

— Non, il n'a pas parlé de ça. Tu sais, Ingrid, il y a beaucoup de familles qui fonctionnent très bien avec la présence des parents biologiques dans leur vie.

— Je suis ben prête à ça, mais pour le moment il peut encore nous l'enlever et je trouve ça stressant. Et injuste.

— C'est au bien de Mélina qu'il faut penser, dit Céline.

— Je pense juste à ça, rétorque Ingrid en se levant pour partir.

❧

— Avoue que tu penses pas seulement au bien de Mélina, dit Olivier ce soir-là, quand elle lui raconte sa visite au centre jeunesse.

— Qu'est-ce que tu veux dire ? répond-elle, piquée.

— Ben que t'as peur de plus l'avoir, toi.

— Ah, parce que, toi, ça te dérangerait pas de perdre Mélina ? C'est ça ?

— Ben non ! C'est pas ça que je dis. Pas du tout.

— À quoi ça sert que tu me dises ça d'abord ? demande Ingrid, agacée.

— Parce que je sais plus quoi faire pour te rassurer, te calmer. T'es vraiment pas reposante depuis que t'as appris que le père voulait la voir.

— Avec raison.

— Non, pour l'instant, il veut juste la voir, rappelle Oli.

— «Pour l'instant». C'est exactement ça. Mais tout à coup...

— On traversera le pont quand on sera rendus à la rivière, la coupe Olivier.

— Depuis quand t'es zen, toi, Olivier Brabant ?

— Depuis que, toi, t'es angoissée vingt-quatre heures sur vingt-quatre.

Olivier prend les mains d'Ingrid dans les siennes et lui parle tout doucement.

— Mélina a le droit de voir son père. Si tu l'aimes vraiment, tu ne peux pas l'en priver. Mélina n'est pas notre poupée... C'est une enfant avec des racines, des émotions, une histoire qu'il faut savoir respecter. C'est ça aussi, être parent.

Ingrid regarde son chum en silence un moment. Puis sa colère tombe.

— J'ai peur.

Olivier va la prendre dans ses bras.

— Je le sais bien. Mais on ne pourra pas vivre comme ça tout le temps. On ne peut pas stresser au cas où ça tournerait mal. Souviens-toi, on s'était dit qu'on vivrait dans le moment présent. Et, là, Mélina est avec nous. Il faut penser à elle, s'oublier un peu et accepter la situation.

— T'as raison, Oli.

Ingrid se laisse bercer dans les bras de son mari. C'est vrai qu'ils ne passeront pas à travers si elle est à cran sans arrêt, si elle se laisse envahir par ses peurs de perdre Mélina. *Oli est tellement plus sage que moi. Faut que je me parle.*

Chapitre 8

Depuis que Steve est entré dans leur vie, Ingrid est toujours sous tension, sur la défensive. Malgré tous ses efforts pour rester zen, calme et confiante, la peur est en elle. Elle est certaine que Mélina sent tout ça, mais elle ne peut rien y faire.

Steve a vu sa fille plusieurs fois sous la supervision des travailleuses sociales. Il peut désormais passer quelques heures seul avec elle. Ingrid a dû se faire à l'idée de son retour dans la vie de Mélina.

Quand le jeune homme vient la chercher ce jour-là, Ingrid est partie à un rendez-vous avec un client et Olivier en profite pour avoir une conversation avec lui. Il a ainsi appris beaucoup de choses sur le père biologique de Mélina. Steve est un Franco-Ontarien qui vient d'une fratrie de six, mais il a coupé les ponts avec sa famille depuis longtemps. Son réseau est donc très limité. Olivier apprend aussi que Steve n'a plus aucun contact avec Karine. À la fin de leur relation, quand Mélina avait un an et a été placée en famille d'accueil pour la première fois, Karine était devenue violente avec lui. Avec les travailleuses sociales, ils ont tous convenu qu'il était préférable qu'ils ne se voient plus. Steve a respecté cette entente jusqu'à ce que Karine vienne le voir, le mois passé, pour lui annoncer qu'elle avait signé les papiers de renoncement.

— Ça m'a *shaké*, t'as même pas idée, *man*. Je comprends qu'on peut pas s'occuper de notre fille à temps plein, mais renoncer à être son père... Je pourrais pas. Je veux pouvoir la voir.

— Je comprends, lui répond Olivier.

— C'est pour ça que j'ai arrêté de me geler. Pour elle.

— Ça doit pas être facile.

— Non, mais je lâche pas, je fais des *meetings* AA, j'ai un parrain pis toute. Fait que si ça vous dérange pas, je vais continuer à venir la chercher une fois de temps en temps.

— Ben non, on comprend ça.

— Ingrid, elle m'aime pas ben, ben, hein?

— Faut que tu comprennes. Elle est très attachée à Mélina et elle a peur de la perdre.

— Ben non, je vous l'enlèverai pas. J'ai même pas de job à temps plein.

— Pis si t'en trouves une?

— Ben non, je suis tellement pas rendu là.

— Qu'est-ce que tu veux dire?

— Rien, juste que je veux garder un contact avec ma fille. C'est tout. Je veux pas couper mon lien avec elle comme Karine a fait.

Ce soir-là, Olivier raconte la conversation à Ingrid.

— Ça te rassure-tu un peu?

— Un peu, dit Ingrid. Je suis pas folle de ça que tu deviennes chum avec lui.

— Ingrid, tout va bien aller.

— OK, répond-elle, lasse d'être toujours sur le qui-vive.

Marthe a réussi à convaincre Zachary de venir avec elle faire une course. Ça faisait des jours qu'il n'était pas sorti de la maison et elle voulait absolument qu'il prenne un peu d'air. Sur le chemin du retour, Marthe commente joyeusement tout ce qu'ils voient en route. Zachary est intéressé et participatif, et elle se félicite d'avoir insisté. Elle se stationne dans l'entrée, non loin de la porte.

— Je suis tanné là, Marthe, je veux rentrer chez nous.

— On est arrivés, mon gros lion.

Zachary regarde autour de lui et, visiblement, ne reconnaît pas la place.

— C'est pas chez nous, ici.

— Ben oui, Zachary, voyons.

— Marthe, je veux aller chez moi, je te dis.

Marthe regarde Zachary, désemparée. Elle le sent qui commence à paniquer.

— Je veux pas être ici. Je veux aller dans ma maison!

— Calme-toi, Zachary. S'il te plaît.

— Je suis calme. Je veux juste aller chez nous.

Marthe ne peut plus retenir ses larmes. Zachary ne le remarque même pas, trop préoccupé à regarder autour, à ne rien reconnaître, à vouloir retourner chez lui. Marthe ne sait plus quoi faire. Elle redémarre la voiture et recule. Zachary semble se détendre. Marthe reprend la route et décide de rouler un peu et de revenir, le temps que Zachary se replace.

Trois fois elle est revenue à la maison, trois fois Zachary s'est énervé, a chahuté, ne voulait pas sortir du véhicule. Elle finit par le convaincre à force de ruse, lui faisant croire qu'ils n'entraient que pour quelques minutes. Aussitôt dans la maison, elle l'a aidé à se mettre au lit. Au grand soulagement de Marthe, Zachary, docile, s'est laissé faire. Marthe, quant à elle, est épuisée. Elle va se faire chauffer une soupe avant de se mettre au lit à son tour. Elle est obligée de convenir qu'elle ne pourra plus continuer longtemps à ce rythme. Elle s'assoit sur la banquette de la cuisine, secouée de sanglots.

— Tu vois, Oli, j'essaie vraiment de faire des efforts, d'être ouverte, mais chaque fois que Mélina revient de chez lui, elle est excitée comme une puce. Ça lui prend des heures à s'endormir. Il la bourre de bonbons aussi… Je lui ai pourtant dit de ne pas lui donner de sucre.

— Il la voit pas si souvent. Je suppose qu'il veut lui faire plaisir, que c'est pour ça qu'il lui donne des sucreries.

— Méchant beau cadeau. C'est pas bon pour elle.

— Elle aime quand même ça passer du temps avec lui.

— Je comprends donc! Il fait tout ce qu'elle veut. Ils font juste des affaires le fun, excitantes.

— Tu ferais quoi à sa place?

— Coudon, tu prends pour qui, toi?

— Pour Mélina.

Ingrid hausse les épaules, agacée. Elle sait bien qu'Oli a raison, mais Steve l'énerve. Quand il est venu la chercher cet après-midi, il avait encore les ongles sales, les cheveux gras. *Ouache. Sa dernière coupe de cheveux doit dater de 2016.* Elle ne s'habitue pas à voir partir Mélina avec lui, même si ce n'est que pour quelques heures.

Fred, un peu incrédule, regarde la liste des invités de Maria pour le *party* de célébration de leur mariage. Il doit y en avoir près d'une centaine. Lui qui a épuré la sienne pour en avoir le moins possible. Maria voit bien que quelque chose cloche.

— Quoi?

— Ben… Faudrait que tu réduises.

— Pourquoi?

— C'est trop de monde.

— Je ne peux pas retirer personne. Tout le monde se connaît. Si j'en enlève, je vais faire de la peine.

— Je me suis restreint au maximum et j'ai dix-huit personnes. T'en as près de cent.

Maria hausse les épaules, comme si elle était impuissante à y changer quoi que ce soit, comme si ce nombre était une fatalité.

— On a dit qu'on payait juste un verre par personne. C'est pas si mal.

— Et tu crois qu'on a les moyens de payer un verre à cent vingt personnes ?

— Je vais faire des heures supplémentaires.

— Maria, t'es pas raisonnable.

— C'est notre mariage et tu veux que je sois raisonnable ?

— Un peu, quand même.

— Si on faisait ça chez moi, en Colombie, il y aurait trois cents personnes.

— On n'est pas chez toi, justement.

— Fredo, ne gâche pas tout.

— Maria...

— Non ! Tu peux pas me forcer à faire ça. On s'est même pas mariés à l'église.

— C'est quand même pas de ma faute, ça, rétorque Frédérick.

— Si je peux pas inviter mes amis, on annule tout.

— C'est pas ça que j'ai dit.

— Oui, c'est ça.

Butée, Maria va s'enfermer dans la chambre. Rien à faire pour qu'elle en sorte.

À la suggestion de Céline, Ingrid a accepté de rencontrer une mère d'enfant en banque mixte comme elle. Josée l'attend au bar du Pub St-Ambroise. C'est une femme d'une quarantaine d'années, les cheveux blonds et les yeux clairs, qui dégage le calme et l'assurance de celle qui a vécu. Ingrid se sent tout de suite en confiance.

— Merci beaucoup d'avoir accepté de me rencontrer.

— Ça me fait plaisir. J'ai déjà été à ta place et j'aurais bien aimé ça que quelqu'un me parle.

— Alors tu as un enfant en banque mixte?

— J'en ai deux, corrige Josée. Sébastien, mon plus vieux, a douze ans et Anissa, huit ans. Je les ai depuis qu'ils sont tout petits.

— Et les parents naturels sont dans leur vie? demande Ingrid.

— Pas Anissa, mais Sébastien, oui. Depuis toujours, sa mère vient le voir trois ou quatre fois par année.

— Et ça se passe comment?

— Au début, c'était pénible. Elle se sentait coupable chaque fois qu'elle venait le reconduire chez nous. Elle pleurait. Elle a fait quelques grosses crises. Ça bouleversait Sébas.

— Je comprends donc, compatit Ingrid.

— Mais ça s'est tassé. C'est difficile pour les parents qui laissent leur enfant. Ils se sentent tellement incompétents, coupables. J'ai ben de la compassion pour eux. Ils sont obligés de faire confiance à des étrangers pour s'occuper de leur bébé. C'est pas évident.

— C'est vrai, convient Ingrid. Mais, toi, as-tu été toujours aussi zen?

— Pantoute. J'ai *rushé*, moi aussi. Mais, à un moment donné, on peut pas toujours être sur les nerfs.

— Mais si je la perds… Juste d'y penser, je fais de l'angoisse.

— Faut apprendre à vivre avec ça. Il y en a des ben pires que nous. Ma sœur a eu un bébé avec une maladie rare, l'ostéogenèse imparfaite.

— Je connais pas ça.

— La maladie des os de verre.

— Ah oui, comprend Ingrid. Ce sont les enfants qui ont des os super fragiles.

— Exactement. Des fois, ils la prennent et ils lui cassent un bras. Sa petite souffre depuis toujours. Ils ont toujours peur qu'elle tombe, qu'elle se casse quelque chose. Ils passent leur temps à l'hôpital. Quand j'avais trop peur de perdre Sébastien, je pensais à ma sœur. Ça met les choses en perspective.

— T'as raison. Mélina est en santé. Je devrais pas me plaindre.

— C'est juste que c'est ça, ta situation. Il faut que tu apprennes à vivre avec ça sereinement. Avec le temps, je trouve que c'est un peu plus facile pour Sébastien de voir sa mère régulièrement. Il n'y a pas de trou dans son histoire de vie. Tu vois, Anissa, je sens que ça va être un problème de ne pas avoir connu ses parents. Ça lui manque déjà.

— J'avais pas vu ça comme ça…

Cette rencontre avec Josée fait beaucoup réfléchir Ingrid. Elle se trouve égoïste de n'avoir pensé qu'à elle jusqu'ici. C'est vrai que Mélina peut profiter de la présence de son père dans sa vie. Pour la ixième fois, elle se promet d'être plus ouverte.

Marthe peut souffler un peu. Depuis plusieurs jours, Zachary va bien. Pas de crise, pas de colère. Bien sûr qu'il oublie des choses, qu'il répète parfois quatre ou cinq fois les mêmes questions, mais elle peut vivre avec ça. Ils ont même joué aux cartes, hier soir, comme avant. Elle se dit que si la maladie se déroulait ainsi, elle pourrait accompagner son homme sans déranger personne. Elle qui ne croyait plus en rien se surprend à prier pour que tout reste comme ça le plus longtemps possible.

Frédérick est de corvée de ménage cette semaine. Il s'affaire dans la cuisine quand Hadib vient s'asseoir.

— Fait que vous organisez un *party* pour votre mariage.

— Oui. J'espère en tout cas.

— Pourquoi tu dis ça?

— Maria et moi, on s'est un peu pognés sur le nombre d'invités. Mais ça va se placer.

— Es-tu certain de tout ça, Fred?

— De tout quoi?

— Ce que tu fais pour Maria, le parrainage, le mariage. Tout.

— Ben oui, je suis sûr. Sinon, je l'aurais pas fait, répond Fred sur la défensive.

— Est-ce que tu mesures complètement dans quoi tu t'es embarqué?

— Oui.

— Je voulais juste te dire que je connais un avocat qui peut encore faire annuler le mariage.

— Je veux pas ça! Qu'est-ce qui a pu te faire penser que...

— Fred, choque-toi pas.

— Ben mets-toi à ma place.

— Je dis ça pour toi. Je connais deux gars qui ont été dans la même position que toi. Pour les deux, ça a mal fini. T'es mon ami. Je veux pas que tu te retrouves dans une situation de merde.

— Maria est pas comme ça.

— Je te le souhaite, mec, je te le souhaite vraiment, dit Hadib en se levant.

Fred continue de faire son ménage en bardassant. Personne ici ne connaît Maria comme il la connaît. C'est la femme de sa vie et il n'a aucun doute d'avoir fait la bonne chose. Aucun.

Olivier a demandé à Ingrid d'arrêter chez DuoBuzzz après avoir fait les courses. La jeune femme entre et n'y trouve que son mari.

— Allô!

— Salut, ma belle blonde.

— Théo et Suzie sont pas là?

— Non.

— Comment ça?

— Ça va pas ces deux-là. Pars-moi pas là-dessus...

— Mon pauvre amour, dit Ingrid en caressant la joue de son chum.

— Mélina est où?

— Avec mon père. C'est plus facile de faire l'épicerie sans elle.

— Tant mieux, j'ai quelque chose à te montrer. Je l'avais caché pour pas que la petite le voie.

— Voie quoi? demande Ingrid, curieuse.

Pendant qu'Olivier va chercher une grosse boîte derrière un paravent, Ingrid va flatter Buzzz-le-chat.

— Allô, le beau Buzzz.

Buzzz-le-chat répond en ronronnant joyeusement. Ingrid regarde Olivier tirer l'immense boîte, enveloppée maladroitement dans une bâche avec du gros papier collant de déménagement.

— Qu'est-ce que c'est?

— Steve est venu porter ça, ce matin. Un cadeau pour Mélina.

— Ah, ouain? Directement ici, sans passer par le centre jeunesse? demande Ingrid.

— Oui. Il trouvait ça trop compliqué, confirme Olivier.

— C'est énorme. C'est quoi?

— Je le sais pas.

— Ouvre-le.

— C'est pour Mélina.

— Lève un peu la bâche, juste pour qu'on ait une idée.

Olivier soulève délicatement un coin. Buzzz-le-chat vient faire son inspection.

— Ça a l'air d'une... je sais pas trop. Je vois comme un frigo.

— Hein? OK, Oli, enlève tout. Au pire, on le remballera.

Olivier soupire, mais s'exécute malgré tout. Une fois la bâche retirée, ils peuvent enfin voir le cadeau, visiblement acheté d'occasion. Il s'agit d'une cuisinette en plastique, avec une cuisinière, un frigo, un comptoir, un robinet, un lavabo.

— C'est *cute* pareil.

— Elle est ben trop petite pour jouer avec ça.

— Ben non, elle a en plein l'âge.

— Pis c'est sale, regarde derrière. Il l'a acheté d'on-sait-pas-qui, pis il l'a même pas lavé. Pis où veux-tu qu'on mette ça au condo? On n'a pas pantoute de place pour une grosse patente de même.

— Dans sa chambre?

— On pourra plus marcher. En plus, c'est tellement sexiste.

— Ben là, Ingrid…

— C'est vrai. Un *kit* pour lui montrer qui doit cuisiner, c'est pour maintenir les femmes dans leur rôle traditionnel. Ça rentrera pas chez nous.

— C'est pas moi qui va lui dire ça, en tout cas, laisse tomber Olivier. Tu l'appelleras, toi.

— On a seulement à pas le dire.

— Ça se fait pas, ça, Ingrid. Il avait pas de mauvaise intention, j'en suis sûr.

— Peut-être, mais c'est niaiseux pareil. À quoi il a pensé d'acheter une grosse patente innocente de même sans nous en parler avant? Non, non, on donne pas ça à Mélina. Pas question, conclut Ingrid d'un ton sans appel.

— Il va finir par le savoir.

— On traversera le pont quand on sera rendus à la rivière.

Olivier regarde sa femme. Son air buté lui suggère de ne pas insister.

Fred a à peine parlé à William et à Julie depuis les Fêtes. Les appels sont courts et un peu froids. Évidemment, Maria est un sujet tabou. Il décide donc d'aller à Granby pour «clairer l'air». Dans l'auto qu'il a empruntée à un ami, il repasse tout ce qu'il veut dire à ses parents. Il ne veut pas être agressif ou frondeur, mais il est sûr de son choix et il entend bien les convaincre, avec calme et maturité. Il ne leur dira pas, bien sûr, que ces temps-ci, entre lui et Maria, c'est plutôt frisquet et qu'ils ont repoussé la date du *party* en attendant de trouver une solution au trop grand nombre d'invités. Maria lui parle à peine et ils n'ont pas fait l'amour depuis plus de deux semaines. Cette attitude l'agace et lui plaît en même temps. Bien sûr que le chantage sexuel est loin de faire son affaire, mais ça prouve que Maria n'est pas du genre soumise, qu'elle sait ce qu'elle veut et ça, ça le séduit. Il sait qu'ils vont finir par trouver une solution.

Quand Fred se stationne devant la maison de ses parents, William est en train de pelleter l'entrée. À voir sa mine, il est surpris de voir son fils.

— Salut, p'pa!

— Allô, Fred. Qu'est-ce que tu fais ici? demande William.

— Ça me tentait de venir vous voir.

— Ah ben, c'est gentil, ça.

— As-tu une autre pelle? Je vais t'aider à finir.

— Sur le balcon.

Frédérick va chercher la pelle et revient vers son père. Il constate que l'auto de sa mère n'est pas garée dans l'allée.

— Maman est pas là?

— Elle est partie faire des courses. Elle devrait revenir bientôt.

Père et fils s'affairent à dégager les entrées de la neige accumulée par la bordée de la veille. Après quelques minutes de travail silencieux, William, mine de rien, envoie le contenu de sa pelle sur son fils.

— Hey! proteste Fred, en lançant à son tour une pelletée vengeresse.

S'ensuit une bataille rangée qui ne fait ni gagnant ni perdant, seulement deux hommes hilares. Fred se dit que c'est la manière que son père a trouvée pour lui signifier qu'il lui a pardonné. *Pas certain que ça va être aussi facile avec m'man*, pense-t-il.

Frédérick est assis devant ses parents au salon. William a fait des chocolats chauds pour tout le monde. Si son père a l'air plutôt ouvert et conciliant, Julie, quant à elle, a le visage fermé. En effet, elle ne lui pardonne pas son mariage.

— Je suis venu vous voir parce que je trouve pas ça le fun d'être en froid avec vous autres.

— On apprécie que tu sois venu jusqu'ici pour ça. Hein, Julie ?

— Oui, oui, mais t'es quand même pas surpris de notre réaction ? dit Julie.

— Je comprends que t'aurais préféré le savoir avant, mais on n'avait pas le temps. Maria risquait la déportation.

— T'avais même pas le temps de téléphoner pour en discuter ? demande Julie.

— Non.

Julie fait une moue sceptique. Fred se reprend aussitôt, choisissant la vérité, plus difficile à assumer, mais bien décidé à jouer franc-jeu.

— En fait, oui, j'aurais sans doute eu le temps, mais je connaissais d'avance votre réaction. J'avais pas le goût de me chicaner ni d'avoir des discussions qui en finissent plus de finir.

— Fait que t'as préféré nous mettre devant le fait accompli.

— Julie, dit William d'une voix qui se veut apaisante. Il est venu justement pour faire la paix…

— Tu parles comme si ça faisait ton affaire, ce mariage-là.

— Non, mais va ben falloir régler ça.

— T'étais aussi enragé que moi, William Harrison !

Elle se tourne vers son fils.

— Ton père a l'air ben *cool,* là, mais quand on a appris la nouvelle, il l'était pas mal moins.

William prend le relais.

— On s'inquiète, Fredo. C'est pas seulement le fait que tu te sois marié en cachette.

— C'était pas « en cachette », précise Fred.

— Sans nous le dire, si tu préfères. C'est surtout les énormes responsabilités qui viennent avec le fait qu'elle soit une réfugiée.

— Je suis très conscient de mes responsabilités. Vous pensez que je me suis embarqué là-dedans comme un épais, sans m'informer ? C'est ça ?

— On a fait nos recherches, nous aussi. Tu sais que tu es responsable d'elle…

— Je le sais, m'man, la coupe Frédérick. Je suis amoureux d'elle. Je veux faire ma vie avec elle.

— Savais-tu que, même si vous divorcez, tu vas être quand même responsable d'elle financièrement pendant des années?

— Ben oui, je le sais, qu'est-ce que tu penses?

— Fred, t'as vingt et un ans… commence William.

— Justement! Je suis adulte, majeur et vacciné.

— Ça veut pas dire que tu connais tout et que tu prends des décisions éclairées, lance Julie.

— Merci beaucoup pour ta confiance, ironise Fred.

Un lourd silence s'installe.

— Bon, on n'avance pas là, dit William.

— Non, pas pantoute, confirme Frédérick. Je suis venu ici pour faire la paix, pas pour m'engueuler.

— C'est difficile à digérer, dit Julie avec un accent de vulnérabilité.

— Maman, répond Fred d'une voix plus douce, fais-moi confiance. Tout va être correct.

— Je suis loin d'être certaine de ça. J'ai l'impression que tu t'es embarqué dans trop gros pour toi.

— L'avenir va vous prouver que c'était un bon *move*.

Julie secoue la tête, mais elle a perdu son énergie belliqueuse. Fred en profite pour leur parler du *party*.

— On organise une petite fête pour célébrer notre mariage.

— Vous avez de l'argent, vous autres! s'exclame Julie spontanément.

Fred regarde sa mère et soupire. Une fois de plus, William temporise.

— Écoutons-le, au moins.

— Au début d'avril, la date est à confirmer, on réunit famille, amis pour souligner ça, vu qu'on n'a rien fait quand on s'est mariés. Je vais vous envoyer tous les détails par courriel dans quelques semaines.

— On va y penser, dit Julie qui s'est refermée.

William regarde sa femme et décide de ne pas discuter. Pas maintenant, en tout cas. Il la connaît, l'affronter en ce moment ne mènerait nulle part. Fred se lève.

— Bon, ben c'est ça.

De retour sur l'autoroute 10, direction Sherbrooke, Frédérick se donne une note moyenne sur le résultat de sa démarche. Le départ de chez ses parents a été un peu froid et il en veut à sa mère qu'il trouve butée et fermée. Mais il se sent en paix d'avoir au moins essayé, de bonne foi, d'arranger les choses. Tant pis pour elle.

Marthe regarde les tartes qu'elle vient tout juste de terminer. Deux aux fraises et deux aux bleuets. Des fruits qu'elle a cueillis elle-même l'été passé et qu'elle gardait précieusement au congélateur. Zachary sera heureux d'en manger demain. Elle laisse ses œuvres sur le comptoir pour les laisser refroidir et regarde l'heure : vingt heures. Zachary ne fait pas de bruit depuis un moment déjà. Il a dû s'endormir dans son fauteuil, comme ça lui arrive souvent. Elle éteint les lumières de la cuisine et se dirige vers le salon. Son gros lion n'y est pas. Elle poursuit vers la chambre, certaine de le trouver couché et endormi, mais Zachary n'y est pas non plus. Son cœur se serre.

— Zachary! appelle-t-elle.

Pas de réponse. Elle entreprend de refaire le tour de la maison : salle de bain, salon, salle à manger, cuisine. Elle va même dans le grand garde-manger. Nulle trace de Zachary. Après avoir fait le tour deux fois, Marthe cède presque à la panique. Elle va voir dans le hall d'entrée, sa veste en tweed n'est plus là. Oh, mon doux, il est sorti avec seulement cette petite veste pas très chaude. *Il fait -8 °C dehors, il va attraper son coup de mort. Mais pourquoi est-il sorti ?* Marthe peine à réfléchir. Elle imagine Zachary seul dans la nuit, dans le froid. Elle trottine jusqu'au téléphone pour appeler William, il saura quoi faire.

— J'appelle la police et j'arrive, lui dit William. Restez à la maison au cas où il reviendrait, d'accord?

— Oui, entendu.

Pendant qu'elle attend William, Marthe se ronge les sangs et s'en veut de ne pas avoir été plus vigilante. Comment se fait-il qu'elle n'ait pas entendu la porte s'ouvrir et se refermer? Pourquoi ne l'a-t-elle pas mieux surveillé aussi? Mais où est-il?

Une chance, William arrive rapidement. Elle est soulagée de le voir, de ne plus être seule.

— Je m'en veux tellement... S'il est arrivé quelque chose à ton père, je ne me le pardonnerai jamais.

— Ce n'est pas de votre faute, Marthe, voyons. La police va le retrouver, c'est sûr.

— Je ne peux pas le surveiller chaque minute, tu comprends? Mais qu'est-ce que je vais faire? On ne peut tout de même pas l'attacher.

— On va commencer par attendre des nouvelles de la police et ensuite on pensera à des solutions. D'accord?

Marthe acquiesce, mais William a toutes les misères du monde à la rassurer. Elle se sent coupable et est très angoissée.

Une demi-heure plus tard, la police arrive avec Zachary, penaud et tremblant de froid.

— Oh, mon doux, Zachary. Qu'est-ce que t'as pensé? lui demande aussitôt Marthe.

— Je voulais retourner chez nous, dit le vieil homme.

Marthe regarde William, désemparée.

— Faut qu'il se réchauffe. Une boisson chaude lui ferait du bien, dit le policier.

Marthe va aussitôt préparer une tisane à la cuisine. William installe son père au salon et va chercher une autre couverture. Il lui frictionne énergiquement les épaules.

— Fais-nous plus des peurs comme ça, papa.

— Je voulais juste aller chez nous, répète Zachary.

Ingrid raccroche le téléphone, livide. Olivier la regarde, inquiet.

— Quoi ? C'était qui ? demande-t-il.

— Céline du centre jeunesse. Steve veut garder Mélina à coucher en fin de semaine.

Olivier expire, soulagé.

— Ah, fiou, tu m'as fait peur. Pourquoi tu fais cette face-là ?

Ingrid regarde son mari. Comment peut-il ne pas comprendre la gravité de cette demande ? Olivier attend sa réponse.

— Tu te rends pas compte, hein ? dit-elle.

— De quoi ?

— Il veut pas seulement la voir de temps en temps, il veut l'avoir à coucher. Il commence à la réintégrer dans sa vie.

Olivier comprend enfin la réaction d'Ingrid. Au même moment, Mélina se réveille de sa sieste.

— Maman !!! crie la bambine.

Ingrid éclate en sanglots.

CHAPITRE 9

Le petit pyjama mauve, les pantoufles, un legging, un chandail, des sous-vêtements et des bas pour le lendemain, tout a été soigneusement plié et placé dans le sac à dos de Mélina. Le pouce dans la bouche, la fillette regarde Ingrid s'affairer. *La petite a recommencé à sucer son pouce, sûrement parce qu'elle sent mon anxiété,* se dit Ingrid. Cette dernière s'en veut et ça ajoute à son stress. Selon Sophie, qu'elle a contactée quand la petite a commencé cette mauvaise habitude, elle n'avait pas fait ça depuis des mois. Même si elle tente de faire comme si de rien n'était, Ingrid ne réussit pas à se calmer. Le lendemain de l'appel de Céline, elle s'est précipitée au centre jeunesse et la travailleuse sociale lui a confirmé ce qu'elle redoutait le plus : Steve veut en effet reprendre sa fille. Le coup que ça lui a donné quand Céline lui a dit ça. Elle a eu l'impression que le sang se retirait de son corps.

— Ça va, Ingrid ?

— Je le savais, a murmuré Ingrid.

— Ça a toujours été une possibilité, a répété Céline.

— Oui, mais Steve en a jamais parlé. Il a même dit le contraire à mon mari.

— Je sais, il me l'a dit. C'était vrai quand il le lui a dit. Mais sa condition a changé, il a un nouvel emploi avec un salaire décent. Pour lui, ça a fait la différence.

— Pour vous aussi.

— Tu le sais que notre travail, c'est de tout faire pour que les enfants retournent dans leur milieu naturel.

— Je pensais que c'était de prendre des décisions en fonction de l'intérêt de l'enfant, dit Ingrid, amère.

— T'as raison, mais quand les deux coïncident…

— C'est quoi, la suite ?

— Un réviseur va se pencher sur le dossier de Mélina et faire sa recommandation au tribunal. Tu sais que l'ordonnance se termine à la fin du mois.

— Ça va être quoi, sa recommandation, tu penses ?

— Je ne sais pas encore, je vais te tenir au courant.

Ingrid est sortie du centre jeunesse encore plus en colère que lorsqu'elle y est entrée. Elle a l'impression d'être seule contre le système, d'être mise de côté, que son amour pour Mélina est une donnée négligeable, que tout le monde est d'avis que *Steve le tout croche* est une meilleure personne qu'elle pour prendre soin de la petite.

Et là, elle fait sa valise pour qu'elle aille coucher chez lui, dans son appartement sans doute miteux, pas très propre non plus si on se fie à son *look* toujours un peu négligé. Ingrid se secoue.

— As-tu hâte d'aller chez papa Steve, ma cocotte ?

La petite hoche la tête sans sourire et sans retirer son pouce de sa bouche.

— Ça va être le fun, hein ?

— Oui, marmonne Mélina à travers son pouce.

Du salon, Olivier l'appelle.

— Ingrid ! C'est l'heure, il faut que j'aille reconduire Mélina.

— Oui, oui ! On s'en vient.

Ingrid prend Mélina et la serre contre elle.

— Chanceuse! Tu vas passer une super belle soirée et une belle nuit aussi.

Puis elle lui prend la main et elles sortent de la chambre.

Pendant qu'Olivier va reconduire Mélina chez Steve, Ingrid se rend chez ses parents. William n'est pas là, occupé avec Zachary. Elle s'installe à la cuisine avec sa mère devant une tasse de thé.

— Si je comprends bien, la DPJ a un préjugé favorable envers la famille naturelle.

— Exactement, confirme Ingrid. C'est tellement injuste.

— Mais c'est ça, le principe de la banque mixte. C'est le risque que tu as pris.

— Je le sais, je le sais! Tout le monde me dit ça! Mais c'est pas comme prendre une auto en consignation. C'est un être humain. On l'aime, on s'attache… pis là, si le réviseur décide qu'elle serait mieux avec Steve, ben… c'est fini pour nous.

— C'est terrible, t'as raison. C'est un système tellement cruel.

— L'horreur, confirme Ingrid, les larmes aux yeux.

— Mais ça sauve des enfants aussi. Ils peuvent passer du temps dans un milieu équilibré en attendant que leur famille se reprenne en main.

— Ben oui, c'est merveilleux, laisse tomber Ingrid d'un ton aigre.

Julie se lève et prend sa fille dans ses bras.

— Va falloir que tu sois forte.

— Je sais pas si je vais être capable.

— Ben oui.

— Je pensais qu'il y avait rien de pire que de faire des fausses couches, mais je me trompais.

— Mais il y a encore une possibilité qu'ils décident de te la laisser, non?

— Oui.

— Accroche-toi à ça.

Le lendemain matin, au petit déjeuner, Ingrid se propose pour aller chercher Mélina chez Steve.

— Me semblait que tu voulais plus jamais voir Steve de ta vie, commente Olivier.

— Une fille se raisonne. J'ai trop hâte de voir Mélinette.

— Pis tu veux voir de quoi a l'air son appart.

— Pas tant que ça, non.

— Ingrid Harrison ! s'exclame Olivier en riant.

— Quoi ? dit Ingrid d'un air qu'elle espère innocent.

— Je te connais tellement, là. Tu veux aller écornifler.

— « Écornifler » ! T'es pas gêné ! Mais t'as raison, je suis curieuse. Je veux voir de mes propres yeux.

— C'est ben correct, tu vas voir.

— Je veux me faire une idée par moi-même. Toi pis moi, on regarde pas les mêmes affaires.

— Ben oui, on sait ça que les yeux de filles, c'est ben mieux que les yeux de gars.

— J'ai pas dit ça, se défend Ingrid.

Olivier commence à desservir, sourire aux lèvres.

— Arrête de rire comme un grand niaiseux, lui dit Ingrid en souriant malgré elle.

❧

Quand Ingrid arrive chez Steve, Mélina lui saute dans les bras et lui donne un gros bisou. Ingrid ferme les yeux et serre la fillette contre elle. Mais Mélina est encore en pyjama, pas prête à partir du tout.

— On n'avait pas dit onze heures ? demande Ingrid à Steve en se forçant pour ne pas prendre un ton trop pincé.

— Ouain, je m'excuse. On a dormi tard, pis tout a décalé.

Ils ont dormi tard, ça veut dire qu'ils se sont couchés super tard aussi. Bravo.

— Assis-toi, je l'habille, pis on revient. Viens, Milou.

Mélina trottine derrière son père en direction de sa chambre. Pendant ce temps, Ingrid reste debout et examine la place. Il faut bien qu'elle s'avoue que c'est moins pire qu'elle pensait. La décoration est moche, les meubles datent de Mathusalem, mais c'est propre et plutôt bien rangé. Mais ça sent le pipi de chat. Ingrid fronce le nez. Un reste de bol de popcorn, des papiers chiffonnés de barres de chocolat, deux boîtes de jus et trois bouteilles de bière sans alcool traînent sur le coffre qui sert de table de salon. Ingrid ne donne pas de jus à Mélina. C'est beaucoup trop sucré et encore moins de ce type de chocolat. Ingrid soupire. *Mélina va encore être survoltée pendant des heures.*

Mélina sort de la chambre en courant avec son sac à dos dans les bras.

— Prête! crie-t-elle.

Pendant qu'Ingrid lui enfile manteau, bottes et tuque, Steve explique.

— Elle a une motte de gomme dans les cheveux.

— Ah oui?

— J'ai essayé de l'enlever, mais j'ai pas été capable. Je me suis dit que tu serais meilleure que moi pour ce genre d'affaires-là. Il doit ben y avoir des trucs de filles pour arranger ça.

— Pas que je sache, mais c'est correct, je vais m'en occuper.

— Bye, Milou.

— Bye, papa Steve.

De retour au condo, Ingrid fait une recherche sur Internet et trouve des trucs pour retirer la gomme. Pendant qu'elle enduit de beurre de cacahuète la grosse couette pleine de gomme, Mélina papote et raconte, à sa manière, à Olivier et à Ingrid, sa soirée avec son père. Ils finissent par décoder qu'ils ont mangé avec un ami de Steve à l'appart, que cet ami avait apporté un dessert au chocolat, qu'ils ont écouté deux films et que Mélina s'est endormie sur le divan pendant le deuxième film. Après le lunch, Mélina demande elle-même d'aller faire une sieste. Ingrid et Olivier en profitent pour faire le point sur cette première sortie-dodo.

— Elle a l'air bien, de bonne humeur, dit Ingrid en revenant de la chambre de la fillette.

— Oui, ça la bouleverse pas de voir Steve, confirme Olivier.

— Elle est juste fatiguée. Ils ont écouté deux films. À son âge...

— C'était samedi soir. Nous aussi, on la laisse veiller des fois, les fins de semaine.

— Jusqu'à neuf heures, pas minuit.

— Quand même.

Après un silence, Ingrid reprend.

— Tu vas trouver que je suis une mauvaise personne, mais...

— Je vais jamais trouver ça.

— D'un côté, je suis contente que Mélina soit pas troublée d'aller chez son père, mais d'un autre côté...

— Je sais, j'y ai pensé, moi aussi, tu sais ben. Ça va dans le sens qu'elle retourne avec lui.

— Ouain. Oh, Oli, j'essaie vraiment de pas y penser, sinon... je capote.

— Moi aussi.

— Ah oui ? Je pensais que t'étais ben zen.

— Ben non, mais t'es assez énervée, je veux pas en rajouter.

— T'as pas besoin de me protéger comme ça.

— Je pense que oui, moi.

— Non, j'aime mieux qu'on se parle de ce qu'on ressent vraiment. Là, je pensais que tu t'en foutais un peu.

— Ben voyons ! s'exclame Olivier.

— Toujours calme, jamais peiné...

— Je voulais juste être rassurant.

— Ça marche pas de même.

Olivier va prendre Ingrid dans ses bras.

— Si Mélina nous quitte, je vais vraiment avoir le cœur brisé.

❧

En attendant que Céline termine une conversation avec un collègue dans le corridor, Ingrid, assise sur la chaise des visiteurs, regarde les nombreux dessins d'enfant que la travailleuse sociale a collés sur son mur. Des enfants de tous les âges, visiblement, ont voulu remercier Céline de son apport dans leur vie. Cette dernière entre et prend place.

— Désolée de t'avoir fait attendre. Je voulais te voir parce que Steve m'a téléphoné pour me dire qu'il a fait un cadeau à Mélina et que vous ne le lui avez pas donné.

— Oui.

— Tu sais que…

Ingrid la coupe.

— Est-ce qu'il t'a dit ce que c'était?

— Un truc de cuisine.

— Un gros comptoir en plastique qui entre même pas dans la chambre de Mélina. Un immense machin, sale et sexiste.

— Sale?

— Oui, il l'a acheté d'occasion et il l'a même pas nettoyé.

Céline, qui n'avait pas ces informations, prend quelques minutes pour réfléchir.

— Malgré tout, tu aurais dû me le dire.

— Je sais, mais j'avais peur que tu m'obliges à le prendre quand même.

— Je vais te demander à l'avenir, si ça se reproduit, de m'avertir.

— Oui, OK.

— Je te chicane pas trop, parce que Steve non plus n'a pas respecté les procédures. Il aurait dû passer par moi, pas vous le donner directement.

— Donc ça s'annule, dit Ingrid, pince-sans-rire.

— On va dire ça, oui, répond Céline dans un sourire.

— Puisque je suis ici…

— Oui?

— Vous en êtes où avec la demande de Steve?

— Un réviseur se penche sur la question. C'est lui qui va faire sa recommandation au juge. Tu te souviens que l'ordonnance vient à terme à la fin de mars?

— Et comment! Il va dire quoi, le réviseur, selon toi?

— Il commence demain. Je sais pas encore. Comme je te l'ai déjà dit, ça se peut qu'il recommande le retour de Mélina dans sa famille d'origine.

— Je sais.

Ingrid se sent devenir très émotive.

— OK, merci.

Elle quitte rapidement le bureau de Céline. Cette dernière la rappelle.

— Ingrid! Reviens! On va en parler.

— Non, non, c'est correct. Bye!

C'est le matin de l'anniversaire de Mélina. Cette dernière se fait garder par Julie pendant qu'Ingrid et Olivier préparent le condo. Ils ont soufflé des ballons mauves, la couleur préférée de Mélina, ils ont installé une grande banderole «Bon anniversaire 2 ans», Ingrid est dans la confection du gâteau pendant qu'Olivier finit d'emballer les deux cadeaux qu'ils lui offrent.

— Qui vient, finalement?

— Mes parents, ta mère et Gabriel, Marthe et Zachary, mes frères pouvaient pas. J'ai aussi invité Sophie, Robert et leurs deux gars. Puis Théo et Suzie.

— Eux autres, gages-tu qu'ils vont annuler à la dernière minute? dit Olivier.

— Tu penses?

— Ils font toujours ça, ces derniers temps. Ils disent oui pour ne pas avoir à se justifier et ils annulent avec une excuse de bouette juste avant.

Ils s'affairent un moment en silence.

— Et Steve? demande Olivier

— Quoi?

— On l'invite ou pas?

— On en a déjà parlé. Ça me tente moyen de le voir ici, ça fait que...

— Oui, mais...

— Tu penses vraiment qu'on devrait? À la dernière minute comme ça?

— Je suis partagé comme toi. Mais si je pense à Mélina...

À ce moment, le cellulaire d'Ingrid sonne. Elle répond.

— Bonjour, Ingrid, c'est Céline. Je t'appelle parce que Steve a une demande.

— Ah bon, répond Ingrid, prudente.

— C'est l'anniversaire de Mélina aujourd'hui et Steve aimerait l'avoir avec lui pour le souper et pour coucher.

— Ah, ouain? répond Ingrid, décontenancée. Il n'est pas un peu de dernière minute?

— Oui, mais il travaille beaucoup et il pensait pas pouvoir le faire, mais finalement il a réussi à avoir congé demain.

— C'est que... on la fête ce midi et cet après-midi...

— Il veut aussi lui faire une petite fête.

— Elle va être tellement fatiguée après...

— Fais-lui faire une sieste quand tes invités vont partir. Steve va seulement passer à dix-sept heures trente, après son travail.

— Bon, OK, la coupe sèchement Ingrid.

Céline ne relève pas le ton d'Ingrid.

— Parfait. Bonne journée.

Ingrid raccroche. Olivier a compris l'essentiel.

— Steve veut l'avoir.

— Pour souper et pour coucher, confirme Ingrid.

Le couple se regarde, ressentant exactement la même chose. Puis Olivier se secoue et dit d'une voix enthousiaste de coach sportif:

— On continue nos préparatifs. On se laisse pas abattre. On est des champions!

Une fois de plus, Ingrid ne peut que sourire aux efforts d'Olivier.

❧

Deux jours après la fête, il reste encore des vestiges dans le condo, dont les ballons à moitié dégonflés que Mélina veut absolument garder. Ingrid donne des petits coups de doigt sur l'un d'eux en discutant avec Olivier.

— Oui, mais, Ingrid, tu rêvais d'un contrat comme ça depuis des années, fait valoir Olivier.

— Je sais, mais ça voudrait dire qu'il faudrait que je parte pour une semaine.

— Je peux m'organiser. Et je suis certain que tes parents…

— Oui, oui, je sais, c'est pas une question de logistique. Je veux passer le plus de temps possible avec Mélina. Je trouve que c'est pas le temps de partir.

Tous les deux comprennent ce qu'Ingrid dit sans le dire. Que ce n'est pas le temps de s'absenter, parce qu'il est possible que Mélina retourne avec Steve définitivement et qu'elle veut profiter de chaque minute avec la petite.

— Je trouve ça plate pour toi pareil.

— Oui, mais en même temps, dans la balance, ça penche complètement du côté de Mélina plutôt que du travail.

— T'as pas peur qu'ils ne te rappellent plus jamais, si tu refuses?

— Je vais bien faire ça, je vais dire que je dois finir un autre contrat, que je suis vraiment triste de devoir refuser. Je pense que ça ne devrait pas trop me nuire.

— Je te trouve ben courageuse.

— C'est pas tellement du courage.

— Tu m'impressionnes quand même.

— Merci, Oli.

L'ordonnance pour le placement de Mélina vient à échéance dans une semaine, et la mauvaise nouvelle vient de leur tomber dessus comme une tonne de briques. Céline a confirmé que le centre jeunesse allait recommander le retour de la fillette auprès de Steve. Incrédules, Ingrid et Olivier réagissent vivement.

— Je peux pas croire que vous pensez qu'elle va être mieux avec lui ! Pour vrai ? dit Olivier.

— Vous le savez depuis le début : on privilégie le retour auprès des parents naturels.

— C'est tellement niaiseux.

— C'est le bien-être de l'enfant qui compte, Ingrid. Son projet de vie…

— On peut-tu pas être d'accord avec ça ?

— Vous pouvez, mais c'est quand même le constat de nombreux pédopsychiatres et spécialistes de la petite enfance.

— Il y a encore une chance que le juge dise non.

— Oui. Mais c'est rare qu'un juge aille à l'encontre de la recommandation de la DPJ.

Ingrid et Olivier accusent le coup.

— Mais, toi, Céline, es-tu d'accord avec ça ?

— Oui.

— Tu penses vraiment que Steve va mieux s'occuper de Mélina que nous ? Sans blague ? Il est tout seul, Mélina aura pas de modèle féminin, il vit dans un petit appart de rien, il doit pas faire un gros salaire non plus…

— La question se pose pas comme ça. Notre rôle est d'abord de tenir compte du bien-être des enfants, mais aussi de tout faire pour qu'ils retournent dans leur milieu naturel. C'est ça, notre mandat.

Le jour de l'audience, ce fameux jour où sera scellé l'avenir de Mélina, Ingrid a décidé de ne pas rester à la maison à angoisser. Elle a besoin de s'étourdir pour éviter de penser à ce qui pourrait arriver. Elle a donc prévu une journée-neige avec la petite. Elles iront au parc Daniel-Johnson faire de la luge, ensuite elles iront se réchauffer chez Julie et elles feront un bonhomme de neige dans la cour. Mélina a demandé mille fois si elle pourrait mettre elle-même le nez du bonhomme de neige.

Mélina n'a jamais été aussi joyeuse. La journée est formidable. Olivier est venu les rejoindre chez Julie et William, et ils s'y mettent à cinq pour construire leur bonhomme de neige. Mélina est tellement excitée, elle court autour de la sculpture, éclate de rire pour des riens et fait le bonheur des quatre adultes. Olivier prend une photo d'elle en train de planter la grosse carotte en guise de nez. Elle est magnifique! Jamais la fillette ne lui a semblé plus heureuse que maintenant. Pour la ixième fois de la journée, Ingrid se refuse à penser au pire.

La petite famille vient tout juste de revenir au condo quand le téléphone cellulaire d'Ingrid sonne. Elle regarde Olivier, inquiète.

— C'est Céline, dit Ingrid.

— Je vais aller endormir Mélina pour sa sieste. Hein, Mélinette, on va faire un p'tit dodo?

Mélina est trop épuisée pour protester. Olivier quitte la pièce et Ingrid décroche.

— Allô?

— Ingrid, c'est Céline.

— Et puis?

— Mélina va aller chez Steve.

— C'est pas vrai, laisse tomber Ingrid, catastrophée.

— Je sais que c'est dur pour toi, mais, dans son intérêt, le juge a décidé qu'elle serait mieux avec son père naturel.

— Je peux pas croire.

— Tu savais qu'on s'en allait dans cette direction-là, répond Céline avec délicatesse.

— Oui, mais je croyais que le juge allait trouver que…

Ingrid s'interrompt, peinant à digérer cette nouvelle.

— Ça va ? demande Céline.

— Non, répond Ingrid avec franchise. Il va venir la chercher quand ?

— Ce soir.

— Quoi ?

— Le juge a décidé sur le banc. Son jugement prend effet immédiatement. Je suis désolée. Steve va passer après le souper vers dix-neuf heures.

— C'est ben trop vite. On peut pas changer ça ?

— Non. Il a été avisé et il a hâte de retrouver sa fille.

— OK, ne peut que répondre Ingrid, sous le choc, en raccrochant.

Elle se laisse tomber sur le divan, livide. Olivier revient de la chambre de Mélina.

— Peux-tu croire qu'elle s'est endormie en trois secondes, elle…

En voyant le visage de sa femme, il comprend aussitôt.

— Ben non.

Ingrid hoche la tête lourdement. Elle a froid soudain et se sent vide. Mélina, sa Mélina, va lui être enlevée. Sa plus grande angoisse se réalise. Le visage défait, Olivier pose une main sur l'épaule de sa femme, qui instinctivement se roule en boule sur le canapé dans une vaine tentative de calmer la douleur.

Elle ne reste prostrée que peu de temps. Elle doit se secouer puisque Steve sera là dans quelques heures seulement. Après s'être isolé dans la chambre pendant de longues minutes, Olivier en ressort, les traits tirés. Il doit aller au bureau pour régler une urgence et, de toute façon, il n'a pas le cœur à être présent pour l'arrivée de Steve. Ingrid acquiesce. Elle restera seule avec la petite, mais elle préfère ça.

Éveillée de sa sieste, c'est une Mélina ravie qu'Ingrid installe devant un film pendant qu'elle va faire sa valise. Dans des sacs recyclables, Ingrid entasse les vêtements qu'elle juge essentiels pour les prochains jours. Des petits pantalons aux tons de rose et de mauve s'empilent. Les mini-t-shirts s'y ajoutent. Sachant la petite fille absorbée par son film, Ingrid ne retient plus ses larmes. Jamais elle n'a vécu de moment aussi cruel de toute sa vie.

Puis elle essuie ses yeux et se hâte de finir les bagages. Ensuite, elle rejoint Mélina au salon et se blottit contre elle pour la dernière fois.

Ingrid tend à Steve les deux sacs de vêtements. Par une force qu'elle ne se connaissait pas, elle réussit à avoir l'air normale pour le bien de Mélina, qui ne saisit rien au drame et qui croit qu'elle va passer la nuit chez son papa comme ça lui est arrivé à quelques reprises dernièrement.

— Olivier va aller te porter le reste de ses choses cette semaine.

— OK. Merci beaucoup. Viens, Milou.

— Donne-moi deux secondes pour lui dire bye.

Steve ne répond pas, mais attend. Ingrid se penche vers la fillette.

— Bye, ma petite poulette.

— Bye, maman.

Elles se font un câlin. Ingrid se force à se détacher d'elle et à se relever, de peur de ne plus pouvoir la laisser aller.

— Salut, dit Steve en prenant la main de sa fille et en s'éloignant dans le corridor.

Comme les autres fois, Mélina, tout sourire, se retourne et envoie un bisou à Ingrid en embrassant sa main et en soufflant dessus. Et comme les autres fois, Ingrid attrape le bisou et le porte à sa bouche. Mélina rigole, ravie. La fillette ne voit pas les larmes qui commencent à inonder les yeux d'Ingrid qui recule dans le condo et referme la porte. Elle fait quelques pas et s'effondre der-rière le divan du salon, secouée de sanglots, la tête vide et le cœur en miettes. Comment va-t-elle se remettre de cette épreuve? Elle maudit ce système qui arrache des enfants à ceux qui les aiment et qui les envoie à des personnes fragiles et plus ou moins compé-tentes juste parce qu'ils en sont les parents biologiques. Pourquoi s'est-elle embarquée dans ça?

Quand Olivier revient de travailler deux heures plus tard, il la trouve exactement dans la même position, toujours en pleurs.

Chapitre 10

Après le départ de Mélina, Olivier et Ingrid ont pleuré ensemble toute la journée du lendemain, tous deux enlacés, tellement tristes d'avoir perdu leur petite fille. Puis Olivier a dû retourner travailler et ses obligations l'ont aidé à se remettre et à passer à travers. Pour Ingrid, la réalité est tout autre. Quand Mélina lui a soufflé son dernier bisou, elle a eu l'impression de tomber dans un trou. C'est plus que de la peine, c'est du désespoir. Plus les jours passent, plus elle a l'impression de vivre un véritable deuil. Par moments, elle se demande même si ça n'aurait pas été plus facile si Mélina était morte, plus facile que de la savoir à quelques kilomètres avec Steve. Elle passe des heures, le regard vide, dans ses souvenirs. C'est Julie qui vient l'aider à emballer tous les effets qu'Ingrid souhaite faire suivre à Mélina. L'opération s'avère éprouvante et Ingrid se force pour donner à sa mère l'image de quelqu'un de triste, mais pas anéanti.

— Je suis pas obligée de tout lui donner, dit Ingrid à sa mère. C'est nous qui avons payé tout ça, après tout.

— Peut-être, mais tu trouves pas que c'est pire de garder des effets qui te la rappellent sans cesse?

Justement, Ingrid n'a aucunement l'intention de le dire à sa mère, mais elle va plusieurs fois par jour dans la chambre de la petite. Elle tourne en rond en serrant contre elle une peluche, un coussin, une couverture appartenant à sa Mélinette. La petite voix qui devrait lui dire que c'est complètement déraisonnable n'arrive pas à se faire entendre, Ingrid est trop sonnée.

— Il y a quand même des choses que tu devrais garder, c'est vrai. Le jour où tu voudras accueillir un autre enfant…

— Oh, qu'on n'est pas rendus là, réplique Ingrid.

— Je sais, mais…

— Je ne peux même pas y penser.

— C'est vrai que c'est pas mal récent, convient Julie.

Quand Julie quitte le condo de sa fille, tout ce qui doit être sorti est sur le bord de la porte, prêt à être livré chez Steve par Olivier le soir même. Julie regarde sa fille, un peu inquiète, mais se retient de lui faire un discours encourageant et positif. Tout cela est encore trop frais. Ingrid est immensément soulagée de voir partir sa mère. Elle n'en peut plus de donner le change. Elle retourne aussitôt dans la chambre, presque vide maintenant, et s'écroule une fois de plus.

William a passé le dernier mois à essayer de trouver une résidence pour Zachary, en vain. Soit il n'y a aucune place disponible, soit les endroits sont trop déprimants. Pas question de placer son père dans un lieu gris et morne, lui qui a toujours vécu dans de belles maisons, dans l'aisance. Le système de santé lui a proposé une place dans un CHSLD à plus de cinquante kilomètres de Granby. William a refusé, car non seulement l'institution était triste à mort, mais faire autant de kilométrage chaque fois empêcherait Marthe de le visiter aussi souvent qu'elle le souhaite. La maladie de Zachary a donné un coup de vieux à Marthe. William la trouve plus voûtée, plus nerveuse, sur la défensive, comme si elle avait toujours peur qu'un autre malheur lui tombe dessus. Sans en parler à Julie, il a réfléchi à la possibilité de prendre son père avec eux, de laisser de côté son écriture et de s'en occuper lui-même. Mais il en est vite venu à la conclusion qu'il n'y arriverait pas, lui non plus. Zachary aura besoin de plus en plus de soins, il doit être surveillé vingt-quatre heures sur vingt-quatre et, à bien y penser, il ne se voit pas imposer ça à Julie. Le vieil homme a besoin de soins professionnels et doit être en sécurité. William a parfois l'impression que la vie de son père a basculé du jour au lendemain. Souffrira-t-il lui aussi de cette maladie dans quelques années? Il ne veut pas le savoir. Pour l'instant, il regarde son père disparaître peu à peu.

Julie, qui passe régulièrement du temps avec Marthe, insiste auprès de William pour qu'il trouve rapidement une place, car, en effet, elle sent Marthe de plus en plus fragile. William a donc élargi un peu son rayon de recherche en dehors de Granby, mais rien de concluant là non plus. Il a dû se résoudre à inscrire son père sur des listes d'attente. Et ils attendent.

Frédérick, quant à lui, a dû composer tout un mois avec une Maria boudeuse et froide. Elle accomplissait ses tâches dans l'appartement, allait travailler et revenait épuisée, se couchait très tôt, jamais disposée à faire l'amour. Frédérick a vite compris que c'était sa «punition» pour avoir refusé d'inviter cent vingt personnes à la fête de leur mariage. Cette bouderie lui déplaît au plus haut point, mais il a la certitude que c'est le revers, le prix à payer pour le côté lumineux et pétillant de sa compagne. Le recto et le verso d'une même pièce, l'un n'allant pas sans l'autre. Il prend donc son mal en patience et attend que Maria lui revienne. Il en profite pour étudier et mettre le paquet pour terminer sa dernière session en beauté. Il n'en peut plus de l'université, il a hâte d'être sur le marché du travail, de gagner assez d'argent pour prendre un appartement à deux avec Maria. En attendant que Maria cesse de le tenir à distance, il cherche une solution pour les noces qui conviendra à la fois à Maria et à l'état de leurs finances. Pas évident.

Deux semaines après le départ de Mélina, Julie décide d'aller faire une visite surprise à Ingrid. Les courtes conversations téléphoniques avec sa fille lui laissent entrevoir qu'elle s'enfonce. En effet, quand Ingrid ouvre la porte, Julie la trouve en vieux vêtements de sport informes, les cheveux gras et les yeux cernés.

— M'man? Qu'est-ce que tu fais ici? Comment t'es entrée dans le *building*? T'as pas sonné.

— Je suis entrée en même temps que quelqu'un d'autre. Je voulais te faire la surprise.

— La surprise? répète Ingrid.

— Nous fais-tu un café?

Ingrid s'exécute, et mère et fille s'installent à la table de la salle à manger.

— Ça fait combien de temps que Mélina est retournée chez son père? demande Julie.

— Seize jours.

— As-tu travaillé?

— Non.

— Es-tu sortie?

— Non.

— Même pas pour faire des courses?

— Non.

— C'est bien ce que je pensais.

— J'ai encore trop de peine, dit Ingrid.

— Je comprends, mais tu ne peux pas continuer à t'enfoncer comme ça. Il te faut un plan pour aller mieux, ma chérie.

— J'ai tellement pas de plan, dit Ingrid. J'arrive pas à me faire à l'idée que je la reverrai jamais.

— Et la revoir, tu crois que ça te ferait du bien ou que ça empirerait les choses?

— Ben non! Si je pouvais garder un lien, ça serait ben mieux.

Julie garde le silence un moment.

— Faut penser à un moyen de la revoir, alors.

— C'est impossible, l'arrête Ingrid. Le dossier de Mélina est fermé, elle est retournée dans sa famille. On n'est plus dans le décor. Point final.

Julie choisit de changer la conversation, aborde des sujets plus légers et finit en secouant gentiment, mais fermement, sa fille. Ingrid promet de prendre soin d'elle, de sortir et de recommencer progressivement à travailler. Elle est d'accord avec sa mère, il est temps qu'elle fasse quelque chose pour sortir de sa peine.

Frédérick se pointe au resto-bar où il souhaite célébrer ses noces pour reparler au proprio. À cette heure, Michael s'affaire dans la salle avec deux serveuses pour préparer la place pour le coup de feu du cinq à sept.

— Salut, Michael !

— Ah, allô !

— Tu te souviens de moi ?

— Ben oui, la collecte de fonds, le mariage. Je pensais que tu avais annulé.

— Non, non. J'ai eu des petits délais. D'ailleurs, j'aimerais ça te parler de quelque chose.

— Faut pas que ça soit long, le monde va commencer à arriver dans même pas une demi-heure.

— Non, non.

Les deux gars s'installent au bar et Fred lui fait part de sa demande.

— Tu sais que j'ai pas beaucoup de fric, alors j'ai eu une idée. On va être entre cent et cent cinquante.

— Belle gang.

— Oui.

— Ça serait ben *cool* si tu payais le premier drink à tout le monde.

— Est-ce que j'ai l'air du père de la mariée ? Non, dit Michael. D'autant plus que tu me fais fermer mon bar un samedi, fait que...

— Justement. Je te propose qu'on fasse ça un dimanche. C'est pas ben, ben achalandé ici, le dimanche.

— Ouain, réfléchit Michael.

— Pis ma femme est latina. Tu le sais comme moi, ça fête en maudit, ce monde-là. Tu vas rentrer dans ton argent, c'est sûr.

— Pis tu ferais ça quand ?

— D'ici la fin avril.

— Faut que j'y pense.

— *Come on*, Michael, on est tout le temps ici, la gang. Pis c'est vraiment un bon *deal*.

— Rappelle-moi la semaine prochaine. Je vais te dire si j'embarque ou pas.

— OK, répond Fred.

Il sort du bar avec une impression mitigée. *Il faut qu'il accepte.*

Ingrid a repris quelques contrats à la fois pour faire un peu d'argent, mais surtout pour se changer les idées, arrêter de penser à Mélina. Ça fonctionne plus ou moins. Elle qui peut passer des heures à travailler à son ordi, d'habitude, se surprend à se lever toutes les vingt minutes pour se dégourdir les jambes, aller boire un verre d'eau, jeter un coup d'œil par la fenêtre. Et, chaque fois, elle pense au fait qu'elle ne pourra plus jamais voir Mélina. Ça roule et ça roule dans sa tête quand, soudain, elle a une idée. Elle n'y a pas pensé avant, trop aveuglée par sa peine.

Le soir, quand Olivier revient à la maison, Ingrid a changé d'énergie. Il en est immensément soulagé. Il ne savait plus quoi faire.

— J'ai eu une idée, lance Ingrid, à peine est-il entré.

— Je suis content de te voir comme ça.

— Comment?

— Énergique, de bonne humeur.

— C'est à cause de mon idée.

— Je t'écoute, dit Olivier en s'assoyant devant elle.

— Je vais appeler Steve et lui offrir de garder Mélina quand il en a besoin.

— Est-ce qu'on a le droit de faire ça? Céline, elle en dit quoi?

— J'ai pas à lui en parler. Le dossier de Mélina est fermé, elle est retournée dans sa famille. Pis Steve est maintenant comme n'importe quel parent. Il peut décider par qui il veut faire garder son enfant.

— T'es sûre de ça?

— Oui. J'ai déjà entendu Céline en parler. Fait que? Qu'est-ce que tu en penses? demande Ingrid, tout excitée.

— Je trouve que c'est une bonne idée, mais j'ai juste une réserve, dit Olivier prudemment.

— Laquelle?

— S'il dit non?

— Il dira pas non, affirme Ingrid, sûre d'elle.

— Si jamais. J'ai peur que tu retombes, pis je veux pas ça pour toi, ma belle blonde. C'est assez *tough* de même.

— T'as raison de dire que ça sera pas agréable s'il refuse, mais ça va être pire pour moi si j'essaie pas. Dis oui, Oli, je t'en prie.

Olivier regarde sa femme, le visage plein d'espoir et, malgré ses réticences, décide d'accepter.

— OK.

Ingrid lui saute dans les bras.

— Oh, Oli, je suis tellement heureuse. Tu vas voir, ça va marcher! Je l'appelle ce soir.

Ce soir-là, au téléphone avec Steve, Ingrid se fait convaincante. Elle lui fait remarquer que Mélina a déjà été abandonnée par sa mère, que ce serait cruel de lui faire vivre ça encore; que, ainsi, elle ne sera pas obligée de faire une coupure trop radicale avec eux, qu'ils peuvent aller chercher Mélina et que le gardiennage avec eux ne lui coûtera rien. Ce dernier avantage semble plaire à Steve.

— Ouain, OK, je vais y penser la prochaine fois que je vais en avoir besoin.

Ingrid raccroche le téléphone, satisfaite. Elle n'a pas encore Mélina dans ses bras, mais ça sent bon.

Au téléphone, Frédérick jubile. Michael lui annonce qu'il accepte son offre à condition que Fred lui garantisse la présence de cent personnes.

— Aucun problème.

— Si vous êtes quatre-vingt-dix-neuf, c'est toi qui paies.

— OK, pas de problème.

Frédérick est aux anges. Il se retient de téléphoner à Maria, car il préfère le lui annoncer en personne ce soir.

Et il a eu raison. Quand il annonce la nouvelle, Maria a exactement la réaction qu'il espérait. Elle lui saute dans les bras et l'embrasse goulûment.

— Oh, *mi amor, ¡Cariño mío!* J'en pouvais plus de te bouder. Mais je savais plus comment me sortir de là. Merci! *Gracias.* On va avoir une fête digne de ce nom grâce à toi.

— Reste juste à décider quel dimanche et on fait nos invitations.

Ce soir-là, l'amour est torride dans la petite chambre. Ils sont si heureux de se retrouver qu'ils parlent et font l'amour jusqu'à trois heures du matin.

Comme Ingrid l'avait prévu, et pour son plus grand bonheur, Steve fait appel à elle pour garder Mélina quelques jours plus tard.

— Mon *boss* m'a demandé de faire de l'*overtime.* Je peux pas y dire non.

— Pas de problème, répond Ingrid, aux anges. Olivier peut aller la chercher à la garderie, si tu veux.

— Ouain, ça ferait ben mon affaire.

Voilà ce qu'il faut faire : nous rendre indispensables, songe Ingrid. Quand la petite arrive au condo dans les bras d'Olivier, Ingrid a l'impression que son cœur va exploser. Dire qu'elle pensait ne plus jamais la revoir.

— Viens me voir, ma Mélinette d'amour !

La petite lui tend les bras, ravie, et Ingrid la serre très fort contre elle, refoulant des larmes de bonheur. Ingrid l'examine. Elle lui trouve le teint un peu brouillé et conclut que Steve ne la nourrit pas convenablement. Le jeune père est plutôt adepte des aliments congelés et des desserts trop sucrés. Mais que peut-elle faire ? Si elle est avec Mélina maintenant, ce n'est que parce que Steve l'a décidé. *Profite du moment présent.* Ingrid se secoue, déterminée à goûter chaque minute avec la petite fille. Ils passent ainsi une soirée formidable tous les trois.

Et ce qu'espérait Ingrid se produit : Steve fait de plus en plus souvent appel à eux pour s'occuper de la fillette quand il travaille le soir ou simplement quand il souhaite avoir du temps pour sortir avec ses amis. Pour l'instant, Ingrid ne demande qu'une chose : que ça se poursuive.

Même si William vient presque chaque jour, et même si Julie passe du temps avec elle, Marthe a beaucoup de difficulté à composer avec ce qui arrive. Dès qu'elle est seule avec Zachary, elle a peur qu'il se sauve de la maison encore une fois. Elle sait bien que c'est déraisonnable, car ils ont fait installer une nouvelle serrure qui verrouille la porte de l'intérieur avec une clé que Marthe garde sur elle. Mais elle vit dans la peur continuelle qu'il se passe quelque chose de terrible. Zachary fait des colères plus fréquentes. Elle dort peu et mal, et elle devient hyper-vigilante. Elle a peine à se l'avouer, mais elle attend avec impatience le jour où William va lui annoncer qu'il a enfin trouvé une place pour Zachary dans un centre.

— Marthe ?

— Oui, Zachary ?

— Est-ce qu'on mange bientôt ?

— On vient tout juste de sortir de table, mon chéri.

— Ah oui ?

Steve fait appel à eux de plus en plus souvent, et pas seulement les soirs. Il s'est trouvé une nouvelle copine et il est content de pouvoir passer plus de temps seul à seule avec elle. Ingrid savoure chaque moment passé avec la petite et se refuse à penser à l'avenir. À cause des absences fréquentes de Théo, Olivier a dû mettre les bouchées doubles au bureau et a l'impression de n'avoir pas passé assez de temps avec Mélina quand elle était avec eux. Cette fois, il est bien décidé à ne pas rater sa chance. Quand elle est avec eux le samedi ou le dimanche matin, Olivier laisse dormir Ingrid et fait ses courses et ses déplacements avec Mélina : épicerie, quincaillerie, visite chez Marthe et Zachary, chez Hélène et Gabriel où Léa, la fille de Gabriel, est toujours enchantée de la voir. Mélina et Olivier se découvrent l'un l'autre avec bonheur. Quand elle revient chez Steve, Mélina parle beaucoup du temps passé avec Olivier. Steve en est toujours un peu agacé et jaloux.

Surprenant tout le monde, une neige d'avril est tombée samedi toute la journée et toute la nuit, la veille de leurs noces. Quand Frédérick et Maria se lèvent dimanche matin, il fait beau soleil, mais tout semble figé sous les vingt centimètres de neige qui recouvrent le paysage. Frédérick fait mine de rien, mais il est pris d'une angoisse : si la neige empêche les gens de se rendre et qu'ils sont moins de cent personnes au bar ce soir, il devra payer le premier verre avec de l'argent qu'il n'a pas. Maria, elle, est légère et pleine d'entrain. Elle doit aller chez une copine pour se faire coiffer, chez une autre pour emprunter une robe et toute cette préparation l'enthousiasme.

— Ça va, *mi amor* ? demande Maria, sentant que quelque chose ne va pas avec son Freddy.

— Oui, oui, j'ai seulement un peu peur que le monde vienne pas à cause de la neige.

— N'aie aucune crainte, ils seront tous là. Mes amis ne manquent jamais une chance de faire la fête.

— As-tu regardé dehors ? C'est à peine déneigé. T'as du monde qui vient de Montréal.

— Ils seront là, tu vas voir, répond Maria avec assurance.

Frédérick lui sourit, mais, en son for intérieur, il craint le pire. Non seulement l'obligation de payer, mais la déception de Maria devant une salle à moitié vide.

Frédérick et Maria arrivent à dix-sept heures trente pour être là les premiers. Maria est magnifique avec ses cheveux remontés en chignon un peu lâche, sa robe bleu électrique au décolleté plongeant et ses yeux brillants d'excitation. Frédérick ne se lasse pas de la regarder. Lui a choisi de mettre son jeans le plus propre, une chemise blanche, a emprunté un veston marine, mais s'est tout de même refusé à porter une cravate. Maria l'a trouvé « *guapo como un principe*[6] ».

À dix-huit heures trente, personne n'est encore arrivé. Frédérick stresse de plus belle. Étonnamment, Maria semble très détendue. Quelques instants plus tard, Brian et Ingrid arrivent, sans leur conjoint. Frédérick va les accueillir.

— Je suis tellement content de vous voir !

---

6. Beau comme un prince.

— Je comprends donc, il y a pas un chat encore, constate Brian. On est vraiment les premiers?

— Oui. Je capote, on avait dit dix-huit heures.

— Ben non, Fredo, les gens arrivent jamais à l'heure dans des *partys*. Relaxe.

— Ouain… Comment était la 10?

— Parfaite. Pis toutes les rues qu'on a prises pour venir jusqu'ici étaient déblayées. Ingrid a raison, détends-toi.

— J'essaie.

Maria vient les rejoindre. Tout le monde se fait la bise. Fred les entraîne au bar pour leur offrir le premier verre.

— Je pensais que vous viendriez avec les parents.

— Ouain, finalement non… dit Ingrid mal à l'aise.

— Ils viendront pas, c'est ça? dit Frédérick.

— Ils savaient pas encore.

— OK, répond Fredo, peiné.

Puis il se secoue.

— Qu'est-ce qu'on vous offre? Le premier *drink* est sur le bras!

À vingt et une heures trente, la salle est pleine à craquer, Maria avait raison. Frédérick comprend que les Colombiens sont «flexibles» sur les heures. Même si l'heure d'arrivée était dix-huit heures, cela semble n'avoir été qu'une vague suggestion, car la plupart des invités de Maria se sont pointés deux heures après l'heure dite. *Faudra que je m'habitue aux habitudes et coutumes des Colombiens.*

Julie et William ne sont pas venus, mais il y a près de cent cinquante personnes. Les gens commandent de la nourriture, le *drink* de bienvenue est englouti depuis longtemps et l'alcool coule à flots. Michael, le proprio, est comblé. Ça fait trois fois au moins qu'il lève le pouce en direction de Fred pour lui signifier sa satisfaction. Frédérick choisit ce moment, avant que tout le monde soit trop éméché, pour adresser quelques mots aux invités. Il fait signe à Maria de le rejoindre, puis ils montent ensemble sur le petit podium au fond de la salle et demandent quelques minutes de silence. Tous les visages se tournent vers eux.

— Je veux remercier tout le monde d'être là. C'est très important pour nous de vous avoir ici ce soir pour célébrer notre mariage, à Maria et à moi. Faut que je vous dise que je me considère comme le gars le plus chanceux sur terre.

Fred se tourne vers sa femme.

— Maria, tu es une femme extraordinaire, courageuse et tellement vivante! Je remercie le ciel chaque jour qu'on se soit rencontrés.

Tout le monde applaudit. Maria prend ensuite la parole moitié en français, moitié en espagnol. Frédérick la regarde faire rire ses amis, pas du tout intimidée de prendre la parole devant tant de monde. Elle est formidable! Puis il se tourne vers les invités et voit Julie et William entrer dans la salle. Ils sont venus, finalement. Il leur sourit, touché et heureux qu'ils se soient décidés à participer à la fête.

À trois heures du matin, la salle est toujours pleine. Ça chante et ça danse encore avec beaucoup d'énergie. Ils boivent et mangent aussi: ça doit être ça, leur truc pour fêter longtemps. Fred en est impressionné: les Colombiens sont des gens de *party,* ils savent boire, chanter et danser. Et arriver à l'heure dite est le dernier de leurs soucis.

Il a eu une conversation chaleureuse avec ses parents plus tôt dans la soirée. Même s'ils ne sont toujours pas enchantés d'avoir été mis devant le fait accompli, qu'ils ne trouvent pas que ce mariage avec une réfugiée est l'idée du siècle, ils ne veulent pas non plus être en froid avec le cadet et leur souhaitent sincèrement, à Maria et à lui, d'être heureux. Fred mesure le pas qu'ont fait Julie et William pour en arriver là et se dit que c'est un très bon début, que Maria saura bien, au fil du temps, les séduire eux aussi.

Il se couche enfin vers quatre heures trente, épuisé et comblé, une Maria ravie collée tout contre lui.

Marthe pense souvent à ce que sera sa vie quand Zachary sera parti. Comment se sentira-t-elle, toute seule dans cette grande maison, avec le plus proche voisin à un kilomètre de distance ? De plus, bien qu'elle ne l'ait jamais dit à Zachary, elle trouve ça un peu lourd d'entretenir cette grande maison. Elle a passé l'âge. Elle rêve d'un petit appartement avec une seule chambre et se dit qu'elle devrait vendre. Mais elle refuse d'y penser sérieusement tant que son gros lion est là, car elle est certaine qu'il ne serait pas d'accord. Il a toujours adoré cet endroit, non seulement la maison, mais aussi l'immense terrain sur lequel il a marché des heures et des heures, sur lequel il a tant travaillé. *Une chose à la fois, Marthe.*

Ingrid revient du centre jeunesse, perplexe. Céline vient de lui proposer d'accueillir en urgence un petit garçon de trois ans qui a dû être retiré de sa famille pour cause de violence conjugale. Le centre jeunesse est en manque de familles d'accueil et c'est pour cette raison qu'elle fait cette demande. Ingrid et Olivier ne s'en occuperaient que pour une courte période, pour assurer la transition en attendant que la famille qui va le prendre puisse le recevoir pour de bon.

— On n'est pas prêts à accueillir un autre enfant, dit Olivier.

— Je le sais, je l'ai dit à Céline. C'est rien de permanent, c'est pour dépanner.

— Combien de temps ? demande Olivier, prudent.

— Deux jours max.

— Ouain… hésite Olivier.

— Moi aussi, je trouve ça vite, mais quand je pense à ce petit garçon-là, bouleversé, barouetté, sans maison où aller, je me dis qu'on n'a pas le droit de refuser.

L'argument porte.

— T'as raison ! Appelle Céline et dis-lui qu'on va s'occuper de lui.

Frédérick et Maria flottent plusieurs jours sur le nuage de leur *party* de mariage. Comme toutes les semaines, Maria téléphone à sa famille à Bello, sa ville d'origine située à deux heures de Medellin. Frédérick, qui ramasse la vaisselle de leur repas, l'écoute plus ou moins. Puis le ton de Maria lui fait tendre l'oreille. Elle parle très vite, semble consternée. Il la regarde et comprend que quelque chose de grave se passe là-bas, en Colombie. Maria quitte la pièce et va s'enfermer dans leur chambre pendant près d'une demi-heure. Quand elle sort, elle a le visage baigné de larmes.

— Mais qu'est-ce qui se passe ?

— Ma grande sœur Amalia…

— Oui ?

— Elle a un cancer du cerveau.

— Hein ? Mais…

— C'est horrible, Freddy.

— Elle va se faire soigner, elle va…

— Non, le médecin lui a dit qu'elle en avait pour quelques mois seulement.

Maria est effondrée. Frédérick sait le lien qui la lie avec Amalia, cette sœur aînée âgée de trente-sept ans qui l'a pratiquement élevée, qui s'est occupée d'elle davantage que sa propre mère, qu'elle adore et à qui elle parle chaque semaine depuis son départ.

— Je dois aller la voir, décrète Maria entre deux sanglots.

Le petit Benjamin débarque chez Ingrid et Olivier. Traumatisé par ce qui s'est passé dans sa famille, le bambin demande sans cesse sa mère, pleure sans arrêt. Ingrid doit aller le chercher à la garderie le lendemain parce qu'il fait crise sur crise. Elle l'a constamment dans les bras. Il dort à peine deux heures de suite, puis se réveille en sursaut, terrorisé. Ingrid et Oli ne peuvent s'empêcher de comparer Benjamin à Mélina, avec qui tout s'est si bien passé.

Quand Céline vient récupérer l'enfant le jeudi soir, elle trouve le couple épuisé. Jamais ils ne l'avoueraient, mais ils sont tous deux soulagés de voir partir le petit garçon. Ils ne peuvent que conclure qu'ils ne sont pas prêts à prendre soin d'un autre enfant que Mélina. C'est trop tôt.

Chapitre 11

En allant chercher Mélina cet après-midi-là, Ingrid réalise qu'elle se sent bien pour la première fois depuis longtemps. Elle se dit que cet arrangement avec Steve lui convient plutôt. Entre ça et ne plus voir Mélina du tout... Ce n'est pas l'idéal ni ce qu'elle souhaitait, mais ça l'aide à passer sa peine de l'avoir perdue. Elle a l'impression d'avoir trouvé un genre d'équilibre avec le gardiennage. Steve fait appel à eux très régulièrement, tous les samedis et souvent deux soirs dans la semaine. Elle va la chercher à la garderie vers seize heures et va la reconduire le lendemain matin. C'est un peu comme s'ils avaient la petite en garde partagée. Depuis quelques jours, elle se demande même si ça ne pourrait pas être ça, sa vie, s'occuper de Mélina selon cet arrangement.

Elle ne peut toutefois pas s'empêcher de trouver Steve négligent. Parfois, la bambine est habillée n'importe comment, avec des vêtements trop petits ou sales. Steve n'est pas fort sur le lavage. L'autre jour, il lui avait mis des bottes d'hiver. En mai! Et ça fait au moins trois fois que Mélina arrive chez Ingrid et Oli avec de la gomme à mâcher dans les cheveux. Il dit qu'elle adore ça et qu'il aime lui faire plaisir, mais il la met au lit en oubliant de la lui enlever. Le lendemain matin, c'est la catastrophe dans la chevelure de Mélina. Et il ne se donne même plus la peine d'essayer de la retirer, il sait qu'Ingrid va s'en occuper.

À la garderie, Mélina l'accueille avec effusion, comme chaque fois. Ingrid ne se lasse pas de ce grand sourire et de ces cris de joie.

Frédérick vient de terminer le dernier examen de son dernier cours. Terminé pour lui, l'université. Avec tout ce qui se passe, le parrainage et la maladie de la sœur de Maria, il a bien réfléchi et trouve que ce serait une mauvaise idée de se mettre à la recherche d'un travail dans son domaine. Il a donc décidé de continuer à travailler au resto jusqu'à la fin de l'été et de chercher un nouvel emploi pour la rentrée.

Chaque jour, les amoureux se rendent sur le site Internet d'Immigration Canada pour voir s'il y a du nouveau dans le dossier de Maria. Cinq mois ont passé depuis l'envoi de leur demande et, à part le report de l'expulsion, toujours rien. Ça mine le moral de Maria, mais, le pire pour elle, c'est l'état de santé de sa sœur. Maria attend impatiemment le retour de vacances de son avocat pour aller prendre conseil auprès de lui. Elle ne pense qu'à retourner chez elle pour prendre soin d'Amalia. En attendant, elle passe un temps fou sur Skype pour rassurer celle-ci, mais aussi pour discuter de son cas avec sa mère et ses nombreuses cousines et tantes. Frédérick n'avait aucune idée de l'étendue de cette famille.

— Mais, Maria, qu'est-ce qui va se passer si tu ne peux pas partir ?

— Ce n'est pas une option, ça, Freddy. Je vais partir, il le faut. Comment je pourrais vivre avec moi-même si j'abandonne Amalia à ce moment-ci de sa vie ?

Frédérick n'ose pas insister, mais tout ce qu'il a lu sur Internet va dans le sens opposé de ce que Maria espère.

— On est où, là, William? demande Zachary.

Il lui a posé la question deux fois déjà dans l'auto. « On va où? » « On est où? »

— Une visite de routine chez ton médecin, papa, répond patiemment William.

— Ah, OK.

Zachary se laisse calmement emmener chez le médecin par William. Ce dernier trouve que son père décline très – trop? – vite. Il en discute presque chaque jour avec Julie qui lui a conseillé cette visite, ne serait-ce que pour se faire rassurer.

— Monsieur Zachary Harrison, appelle la secrétaire.

William et Zachary marchent vers le bureau du Dr Béland.

— On est où, là, William? demande Zachary.

— Une visite chez ton médecin, papa.

— Ah, OK.

Une fois les signes vitaux de Zachary contrôlés, pendant que William explique au docteur Béland ses inquiétudes, le vieil homme regarde autour de lui avec un sourire un peu distrait, il ne réagit pas à la conversation, comme si ça ne le concernait aucunement. William, qui le regarde régulièrement, en a le cœur brisé.

— La progression de la maladie n'est pas la même pour tout le monde, William. Dans le cas de votre père, je suis obligé de dire que, en effet, ça évolue rapidement.

— Je ne suis pas fou alors, dit William.

— Non. Et on n'oublie pas que Zachary a passé trois ans avec le diagnostic avant que vous le sachiez.

— Non, non, j'oublie pas. Qu'est-ce qu'on peut faire? Comment je peux l'aider? Je ne peux pas le laisser comme ça.

— Vous savez qu'il n'y a pas de cure, n'est-ce pas? rappelle gentiment le médecin.

— Oui, oui, mais… j'ai l'impression de ne plus pouvoir communiquer avec lui.

— C'est possible que vous deviez changer votre manière de communiquer, vous adapter à sa condition.

— Comment?

— Le toucher est important. Quand vous lui parlez, touchez son bras, sa main.

— OK.

— Faites des phrases courtes, posez des questions fermées, auxquelles il puisse répondre par oui, non ou je ne sais pas.

— D'accord, répond William, très attentif aux conseils du médecin.

— Une bonne manière de créer un lien, c'est de se servir de photos du passé, de musique pour se rappeler les bons moments.

— Compris, dit William.

— Est-ce qu'il dort bien, notre Zachary?

— Jusqu'ici c'était bon, mais depuis deux ou trois semaines je dors moins bien la nuit, intervient Zachary.

William regarde son père avec surprise. Zachary semble totalement lucide.

— OK, Zachary, je peux vous prescrire quelque chose, mais ce n'est pas une solution à long terme. Ça fonctionne plus ou moins sur la qualité du sommeil des adultes plus âgés. Et si on les utilise à long terme, ça peut causer d'autres désagréments, des risques de chute, notamment.

— D'accord, faisons ça pour un petit bout, pour voir si ça m'aide, dit Zachary. Je veux juste mentionner que je le savais.

William se questionne. Son père est-il redevenu confus? Non, il a les yeux clairs et vifs.

— Tu savais quoi, p'pa?

— Tant que je gardais ça secret, j'allais bien. C'est dès que tout le monde l'a su que ça a commencé à aller vraiment mal. J'avais raison.

Le médecin regarde Zachary et lui répond avec délicatesse.

— Zachary, je comprends très bien que vous puissiez penser ça, c'est légitime... Cela dit, je ne crois pas qu'on puisse faire un lien. Selon moi, il s'agit d'un hasard et...

Zachary lui coupe la parole et se tourne vers William:

— Est-ce qu'on peut s'en aller maintenant?

William comprend que ce moment de lucidité est déjà terminé.

— Oui, papa, on y va.

Ingrid ouvre la porte à Steve qui vient reconduire Mélina pour la soirée. Il piétine sur place, ne faisant pas mine de partir. Mélina trotte vers sa chambre pour aller jouer.

— Ça va? dit Ingrid.

— Oui, oui, c'est juste que…

— Oui? insiste Ingrid le plus gentiment possible.

— Je voulais te dire que… ben, que c'est par toi que je fais garder Milou, pas par Olivier.

— Qu'est-ce que tu veux dire? demande Ingrid qui ne saisit pas où il veut en venir.

— J'ai l'impression qu'elle passe ben du temps avec lui.

— Oui, pis?

— C'est avec toi que je veux qu'elle soit.

— Qu'est-ce que t'essaies de me dire? Olivier et moi, on a passé des mois avec Mélina. C'est quoi, le problème?

— C'est moi, son père, pas lui.

— On le sait, ça, Steve. C'est toi qui es avec elle à temps plein, rétorque Ingrid, agacée.

Steve reste silencieux un moment puis lâche le morceau.

— Je suis tanné qu'elle revienne chez nous en parlant tout le temps d'Olivier. Olivier a fait ci, Olivier a fait ça. Olivier pis moi on est allés ici, Olivier m'a montré ça. C'est vraiment gossant. Fait que c'est ça. Je veux que ça soit toi, sa gardienne, pas lui.

Ingrid comprend enfin. Mélina parle beaucoup des activités qu'elle fait avec Oli et voilà que Steve en prend ombrage.

— OK, je comprends.

— Ben, bye.

Il tourne les talons et se dirige vers l'ascenseur. Ingrid referme la porte, ne sachant comment gérer cette réaction de Steve.

❧

Maria sort de chez son avocat en larmes : impossible pour elle d'aller voir sa sœur sans risquer de ne plus pouvoir revenir. Bien sûr que Fred fait tout pour la convaincre de rester, mais Maria se sent piégée entre son avenir et son amour pour sa sœur.

Elle et Amalia se parlent par Skype tous les deux jours. Sa sœur tente de lui faire promettre de ne pas faire le voyage vers la Colombie, car elle refuse que Maria mette en péril son avenir pour venir la voir. Maria tente de minimiser les dangers, mais Amalia s'est renseignée, elle aussi, et elle veut que sa sœur jure qu'elle ne prendra pas ce risque. Mais Maria en est incapable. Elle ne peut pas se résoudre à penser que sa sœur va bientôt mourir et qu'elle ne l'aura pas prise dans ses bras une dernière fois.

Ce soir-là, alors que Fred est au travail, elle a une conversation importante avec sa sœur. Amalia lui fait promettre que, une fois qu'elle sera canadienne, elle viendra chercher ses deux enfants pour les adopter et leur permettre d'avoir une meilleure vie. Cette fois, Maria est secouée. Si elle ne part pas, elle pourra faire une grosse différence dans la vie des enfants d'Amalia. Sans réfléchir davantage et sans même penser à en discuter avec Frédérick, elle promet. Non, elle ne prendra pas le risque de faire le voyage, elle restera au Canada. Oui, elle adoptera Angelo, dix ans, et Karissa, sept ans, ses petits neveux, quand elle aura obtenu sa citoyenneté canadienne.

Quand Fred revient à l'appartement, Maria l'attend en lisant.

— J'ai décidé de ne pas partir.

— Ah, Maria, je suis tellement soulagé, répond Frédérick, ravi. Mais qu'est-ce qui t'a amenée à prendre cette décision-là ?

— Toutes sortes de choses. Je crois que c'est plus raisonnable. Et, avec le temps, je vais pouvoir mieux aider ma famille d'ici que si j'étais là-bas.

— C'est vrai.

— Je pourrais même parrainer à mon tour, un jour, qui sait?

— Oui, t'as raison. C'est une sage décision.

À la dernière minute, elle n'a pas osé lui parler de la promesse faite à sa sœur. C'est trop gros. C'est trop tôt aussi pour parler de ça. Elle se promet de le faire bientôt. Frédérick mérite qu'elle soit franche. Il est si généreux avec elle.

William serre la main du directeur de la résidence pour personnes en perte d'autonomie. Il est content, car l'endroit est très bien tenu. Le personnel lui a paru attentionné et bienveillant, et une place est disponible dès le début de la semaine prochaine. Au téléphone, il convient avec Marthe qu'ils annonceront la nouvelle à Zachary ensemble. William a senti le soulagement de Marthe quand il lui a fait cette proposition.

— OK, c'est bon, dit Zachary en hochant la tête.

Il sourit à Marthe et à William, assis devant lui, qui viennent de lui annoncer, avec des gants blancs enfilés jusqu'aux coudes, son prochain déménagement.

Marthe se tourne vers William, désemparée.

— Il ne comprend pas vraiment ce que ça veut dire, dit Marthe.

— Je sais, répond William, qui est du même avis.

Il se tourne vers son père et recommence à lui expliquer ce qui s'en vient. Zachary réagit exactement de la même manière.

— OK, c'est bon.

William sent une boule de tristesse lui monter à la gorge. Son père, son roc, cet homme fort et fier, est disparu.

— C'est clair qu'il est jaloux, dit Olivier.

— Je le sais bien, mais qu'est-ce qu'on fait avec ça? demande Ingrid.

— Est-ce qu'il faut absolument faire quelque chose?

Les deux hésitent et ne savent pas trop comment réagir à cette information.

— Il ne l'a pas dit clairement, mais dans le fond, ce qu'il veut, c'est que je m'éloigne de Mélina parce qu'il est envieux de la relation que j'ai avec elle. C'est ça?

— Ben...

— En te disant que c'est à toi qu'il la confie, c'est ça qu'il voulait dire. Non?

— Je pense que oui. Mais ça n'a pas de maudit bon sens!

— Je le trouve tellement poche, là.

— Mets-en, confirme Ingrid.

— On peut pas dire à Mélina de ne pas parler de moi à son père.

— Non, elle est trop petite pour comprendre ça. Pis même si elle était assez grande, je lui demanderais jamais une chose pareille.

— Je sais bien. Mais j'ai pas envie de m'éloigner d'elle non plus, confie Olivier.

— Je te comprends tellement.

— En même temps, j'ai peur qu'il pogne les nerfs, pis qu'il veuille plus nous la laisser.

— Ouain, pas certaine de ça, moi. C'est tellement pratique pour lui qu'on soit là, toujours disponibles, gratuits.

— Bon point.

Ils réfléchissent un moment en silence.

— Je pourrais lui parler.

— Peut-être oui.

— Essayer de lui faire comprendre que, pour le bien-être de Mélina, on devrait rien changer. Que c'est merveilleux pour elle la relation qu'elle a avec toi.

— T'as pas peur de le braquer ? demande Olivier, prudent.

— Tout est dans la manière.

— On y pense encore, OK ?

— D'accord, acquiesce Ingrid.

— On est où, là, William ?

— Au centre, papa. Tu vas vivre ici, maintenant, tu te souviens ?

— Ah oui, répond Zachary qui visiblement ne se rappelle pas du tout.

William et Marthe ont convenu que ce serait lui qui installerait son père au centre. Marthe viendra les rejoindre après. Will a d'abord fait un voyage pour transporter les effets de son père, car il ne voulait pas installer la chambre devant lui. Il avait besoin de tout placer avant son arrivée. Il n'y a finalement pas beaucoup de choses, car bien que Zachary ait une chambre à lui, sans colocataire comme beaucoup d'autres résidents, la pièce ne comprend qu'un lit, un fauteuil, une table de chevet et une armoire, pas très grande, pour ses vêtements. William a apporté son réveille-matin pour sa table de chevet, quelques livres que Zachary ne lira sans doute pas, sa toile préférée qu'il a accrochée au mur, des photos des enfants. Voilà à quoi se résume désormais l'univers de son père.

Il installe Zachary dans le fauteuil et se force à la bonne humeur pour l'encourager, mais ça lui prend toute son énergie.

— On est où, là, William ?

— Au centre, papa. C'est ta nouvelle maison, maintenant.

— Ah oui.

Zachary regarde autour de lui, ne reconnaît évidemment rien et ne semble rien comprendre.

— Les enfants vont tous venir te voir aujourd'hui et demain.

Zachary esquisse un petit sourire.

— T'as vu, j'ai accroché ton Cosgrove au mur.

William se lève et va replacer le cadre qu'il trouve croche. Quand il revient, le regard de son père semble plus clair. William ne s'habitue pas à ces moments de lucidité qui traversent brièvement les brumes de son père.

— C'est pas très grand, hein?

— Non, en convient William.

— Ni très luxueux.

— Non plus. Je suis désolé, p'pa. T'as vraiment besoin de soins qu'on ne peut pas te donner.

— Je sais. C'est correct. Je ne veux plus être un poids pour Marthe. Ni pour toi.

— T'es pas un poids, s'il te plaît, pense pas ça.

— Tu le diras à Marthe, OK?

— Promis.

Une préposée entre.

— Monsieur Harrison, bienvenue chez nous!

— Bonjour, répond William.

Il se tourne vers son père qui n'est plus là, reparti dans son brouillard.

❧

Ça fait presque deux semaines que Steve n'a pas fait appel à eux pour garder Mélina et Ingrid est certaine que c'est lié à la conversation qu'ils ont eue concernant Olivier. En le quittant, elle a pourtant eu la conviction qu'elle avait marqué un point, que Steve avait compris combien la présence d'Olivier dans la vie de Mélina est importante et nécessaire. Elle lui a laissé deux messages enjoués et sympathiques pour s'enquérir de ses projets pour la fin de semaine, mais Steve n'a pas donné suite.

— Peut-être qu'il est parti en vacances, dit Olivier.

— Ben non, il vient juste de commencer à travailler, pis il n'a pas pantoute les moyens de partir en vacances.

— Ouain.

— J'aurais pas dû lui parler.

— Non, non, t'as bien fait.

Ingrid stresse de ne pas avoir de nouvelles et s'ennuie terriblement de la fillette. Ce matin-là, elle a un rendez-vous et décide de passer devant la garderie. Au même moment, elle ne peut pas croire à sa chance, elle aperçoit Steve qui descend de son véhicule avec Mélina. Elle a le réflexe de sortir pour les aborder, mais se retient. Elle prend plutôt son téléphone et appelle Steve. De loin, elle le voit sortir son appareil, regarder l'écran, voir que c'est elle qui appelle et remettre le téléphone dans sa poche sans décrocher. Ingrid se fige. Elle a maintenant la confirmation que Steve l'évite, il ne veut plus lui parler.

Bien qu'elle ait décidé de ne pas partir, Maria reste très préoccupée par la situation de sa sœur. Elle décide de lui envoyer encore plus d'argent.

— Freddy *querido*, je veux pouvoir envoyer plus de sous à ma sœur. Elle mérite d'avoir la vie plus facile, tu ne crois pas ?

— Ben certain.

— Est-ce que tu pourrais payer ma part de loyer que je pourrais lui donner ?

— Euh…

— Tu payais seul avant que j'arrive, ça ne devrait pas être un si gros problème.

— C'est pas du tout un problème. Je suis d'accord.

Pour Maria, cela va de soi de partager pour venir en aide aux siens. Frédérick se dit qu'il a sans doute une leçon à tirer de ça. *Ici, on est tellement individualiste. Sois plus généreux !* Finalement, il confirme à Maria qu'il est heureux de contribuer au confort d'Amalia dans ses derniers mois de vie.

Une fois le choc passé de voir son gros lion dans cette chambre un peu morne, Marthe doit s'avouer qu'elle se sent beaucoup mieux. Elle constate à quel point elle était tendue depuis des mois. Dans la dernière semaine, elle a dormi profondément huit heures par nuit sans se réveiller une seule fois, chose qui n'était pas arrivée depuis l'annonce de la maladie de Zachary.

Elle a décidé de se faire une routine qui l'amène à aller voir Zachary tous les jours, de quatorze à dix-sept heures. Elle lui fait la lecture, l'emmène marcher dans les longs corridors du centre, ou dehors quand il fait assez chaud, et elle lui fait la conversation même s'il ne répond que rarement. Elle a confectionné des rideaux et un jeté pour personnaliser un peu sa chambre.

Rapidement, elle fait la connaissance du personnel et des bénévoles. Une préposée lui dit que l'une d'entre elles, Cécile, vient voir régulièrement Zachary le matin quand il est seul et qu'il semble apprécier sa présence. Sur le coup, Marthe a un petit pincement au cœur. Qui est cette femme qui tient compagnie à SON Zachary? Puis elle se raisonne, car elle ne peut que se réjouir qu'une personne généreuse et altruiste vienne passer du temps avec lui pour le distraire. Jusqu'ici, elles ne se sont pas croisées, la bénévole venant en matinée et Marthe après le lunch. Marthe a hâte de mettre un visage sur cette Cécile.

Aujourd'hui, elle est exaucée. Lorsqu'elle arrive dans la chambre de Zachary, Cécile est là. Marthe la détaille en marchant vers elle pour la saluer. C'est une petite femme un peu boulotte, avec d'impossibles cheveux noirs à son âge et un rouge à lèvres très rouge. Elle porte une robe fleurie et des espadrilles blanches. Les deux femmes se serrent la main.

— Je suis très heureuse de vous rencontrer, lui dit Cécile, un grand sourire aux lèvres.

— Moi aussi, répond gentiment Marthe.

— Monsieur Zachary m'a parlé de vous.

— En bien, j'espère, ajoute Marthe à la blague.

— Oh oui.

Et Cécile entreprend de lui raconter sa vie de bénévole. Marthe n'a qu'une envie: qu'elle les laisse pour pouvoir passer du temps seule avec Zachary. Mais Cécile ne semble pas saisir le non-verbal, car elle s'incruste pendant plus d'une heure. Quand finalement elle part, Marthe la remercie avec un sourire crispé. Ouf.

Au moment où Ingrid commence réellement à angoisser de ne pas avoir de nouvelles de Steve, ce dernier lui laisse un message dans sa boîte vocale tandis qu'elle est sous la douche. Elle s'en veut d'avoir manqué son appel, elle aurait tellement préféré lui parler de vive voix. Elle active le message vocal.

— Salut, Ingrid, c'est Steve. Ouain, ben je voulais te dire que j'aurai plus besoin que tu gardes Mélina. J'ai trouvé une autre gardienne qui reste tout près de chez nous, fait que ça va être plus pratique. Ben c'est ça. Bye.

Ingrid n'en croit pas ses oreilles. En cet instant, elle déteste Steve avec une violence qu'elle ne se connaissait pas. Pas question qu'il la sépare de sa fille comme ça. Elle va se battre.

Cécile semble avoir changé son horaire de visite, car Marthe tombe sur elle pratiquement chaque fois qu'elle vient voir Zachary. Elle a même été obligée de lui dire qu'elle préférait être seule avec son amoureux. Pendant quelques jours, elle la saluait, restait quelques minutes et repartait aussitôt. Mais elle semble avoir oublié rapidement puisque, encore cet après-midi, Cécile est restée une bonne demi-heure avec eux à raconter une histoire inintéressante concernant un autre malade, décédé il y a quelques mois. Marthe se demande pourquoi cette femme l'agace à ce point. Probablement parce qu'elle est trop de bonne humeur, trop positive, trop bavarde, trop trop trop. Mais Zachary semble l'apprécier, alors elle endure passivement les moments où elles se croisent.

❧

Ingrid et Olivier en ont longuement discuté et l'un et l'autre s'entendent pour dire qu'ils sont traités injustement par Steve. Ingrid est certaine que, si elle va parler à Steve entre quatre yeux, elle saura le faire changer d'idée.

— Tu dois rester calme, hein?

— Ben oui.

— Pis je pense qu'il va être touché par les besoins de Mélina, mais surtout par son confort pis l'argent qu'on va lui faire économiser.

— C'est sûr que je vais taper sur ce clou-là. Je vais être zen, gentille et convaincante, promet Ingrid.

Elle laisse plusieurs messages pour prendre rendez-vous avec lui. En vain. Steve ne retourne aucun de ses appels. Elle décide alors d'aller le voir à la sortie de son travail.

Ingrid se pointe donc au garage vers seize heures cinquante et surveille. Elle voit Steve sous un véhicule, faire une réparation. À dix-sept heures pile, il s'arrête net, dépose ses outils sur l'établi, salue l'autre mécanicien, sans doute son patron, et quitte le garage en direction de son auto. Ingrid sort prestement de la sienne et court à sa rencontre.

— Steve!

Steve se tourne et lève les yeux au ciel en la reconnaissant. Il reprend son chemin vers son auto.

— Steve, s'il te plaît, attends un instant.

Résigné à faire face à Ingrid, Steve s'arrête et s'appuie sur sa voiture.

— Merci, dit Ingrid. Je sais pas si tu as eu mes messages…

— Oui.

— Ah, OK.

— J'avais rien à te dire. Je pensais que tu comprendrais.

— Peux-tu m'écouter, juste deux minutes?

Steve acquiesce en soupirant. Ingrid, de son ton le plus persuasif, plaide sa cause, lui fait valoir que, pour le bien de Mélina, c'est bon qu'ils continuent de la voir, que ça allait si bien avant que Steve stoppe tout, que ça lui faisait économiser des sous. Mais Steve reste de glace et est même un peu vexé.

— Je suis peut-être pas aussi riche que vous, mais je suis capable de payer une gardienne à ma fille.

— C'est pas comme ça que je l'ai dit, voyons. Tout le monde aime ça économiser un peu.

— Oui, mais non.

— Steve, allez, pourquoi tu veux plus qu'on la voie? Tu le sais comme elle est attachée à nous.

— Justement. Il faut qu'elle comprenne que c'est moi, sa famille, pas vous autres. Ça la mélange trop de continuer à vous voir.

— Je suis certaine que Céline dirait que... tente Ingrid.

— J'ai parlé à ma travailleuse sociale, pis elle dit que c'est moi, le père, et c'est moi qui décide par qui ma fille se fait garder. Pis si je veux pas que ça soit vous autres, ça me regarde. Je suis pas obligé d'expliquer pourquoi en long pis en large.

Ingrid sent que Mélina lui échappe.

— Mais, Steve, on l'aime tellement.

— Moi aussi, je l'aime pis je veux plus de vous autres dans notre vie. Me semble que c'est clair. Fait que... arrête de me téléphoner pis de me relancer.

— Je peux pas croire que t'es cruel à ce point-là.

— Si tu continues, je vais porter plainte contre toi à la DPJ, pis t'auras plus le droit d'avoir aucun enfant, fait que... crisse-nous la paix.

Il ouvre sa portière, s'assoit et démarre.

Rendue chez elle, Ingrid ne sait même pas comment elle a réussi à conduire pour revenir. Elle ne peut pas croire que le cauchemar recommence. C'est encore pire que la première fois, car maintenant c'est vraiment terminé. Il n'y a plus aucun espoir de revoir Mélina.

CHAPITRE 12

Contrairement à la première fois où ils avaient vécu leur peine un peu chacun de leur côté, ce deuxième coup dur rapproche beaucoup Ingrid et Olivier. Après son premier mouvement de colère envers Steve où il ne souhaitait qu'une chose, « aller le brasser pour lui faire comprendre le bon sens », Olivier, libre de toute tâche professionnelle ce week-end-là – un vrai miracle – est allé faire les courses le vendredi soir et a annoncé à Ingrid le plan de match.

— On sort pas, on répond pas au téléphone, on reste ici, pis on se colle tout le week-end.

Une perspective qui a l'heur de plaire à Ingrid. Un moment privilégié pour vivre leur deuil de Mélina à deux, elle ne demande pas mieux.

Ces deux jours ont tout vu passer dans le condo du couple : les larmes, la rage, le découragement, l'impuissance… Ils ont maudit Steve, parlé encore et encore de son insensibilité, se sont rappelé mille souvenirs de Mélina, des moments qu'ils ont vécus avec elle, ont pleuré leur désespoir de ne plus jamais avoir accès à « leur » petite fille.

La peine ne s'est pas résorbée en une fin de semaine, mais ce rapprochement leur a fait un bien énorme.

William arrive chez son père – ou devrait-il plutôt dire chez Marthe, puisque Zachary ne vit plus là – à la demande de celle-ci. Cette dernière l'attend debout à la fenêtre du salon. William n'est pas encore rendu sur le seuil que Marthe lui ouvre la porte.

— Bonjour, William, il fait tellement doux, ce matin. Est-ce que ça te plairait qu'on s'installe sur la terrasse en arrière ?

— Certainement.

Une fois, les banalités échangées, la pointe de tarte aux abricots engloutie, Marthe plonge dans le vif du sujet.

— Je crois que je vais mettre la maison en vente.

— Hein ? Mais vous pouvez pas… s'exclame William spontanément, sans trop réfléchir.

— Ah non ? Pourquoi ? demande Marthe, décontenancée par cette réaction.

— Parce que mon père aime bien trop la place, pis…

William s'interrompt. « *Pis quoi exactement*, s'interroge-t-il. *Pis papa va être choqué de voir ça quand il va revenir ? Mais il ne reviendra jamais ici…*» William sent une vive émotion monter en lui. Marthe lui touche doucement la main.

— Je sais exactement ce que tu ressens. Moi aussi, j'ai l'impression de le trahir.

— C'est seulement que je ne peux pas croire qu'il ne reviendra plus jamais. Je le sais avec ma tête, mais on dirait que mon cœur ne suit pas.

— Je sais.

Les deux restent silencieux un long moment. Puis William se ressaisit :

— Comment vous voyez ça ?

— Faudrait contacter un agent d'immeubles. Je vais faire un gros ménage ici, parce qu'il y aurait mille choses à donner, à jeter.

— Vous pouvez pas faire ça toute seule.

— Je vais voir…

— On va vous donner un coup de main.

— Ensuite, je vais me trouver un petit logement, à Granby.

— Pour ça aussi, on peut vous aider. Vous voulez amorcer tout ça quand ?

— Maintenant. Je ne veux pas tarder. C'est lourd ici pour moi : la grandeur de la maison, les souvenirs de Zachary…

— Je comprends.

Sur le chemin du retour, William communique avec Mario Roy, le père de Samuel, un grand ami de Frédérick quand il était au cégep. Mario répond tout de suite, écoute William lui parler de la situation de Marthe et Zachary, compatit et promet de téléphoner à Marthe dès le lendemain.

❧

Depuis qu'elle a commencé à envoyer de l'argent à sa sœur, Maria fait et refait ses comptes de manière presque obsessive.

— Tu as tout calculé avant-hier. Tu recommences ce soir ? s'étonne Frédérick.

— C'est tellement peu ce que j'envoie à Amalia.

— Je suis certain qu'elle apprécie. C'est mieux que rien, non ?

— Oui, mais je veux faire plus. Elle mérite davantage.

— Je peux pas participer, Maria. J'arrive juste, dit Fred, croyant comprendre que Maria lui demande indirectement de l'argent.

— *¡Dios mío!* Mais non, Freddy ! Tu fais déjà beaucoup en payant notre part ici.

— OK. Tu penses à quoi, alors ?

— Je sais pas, je réfléchis, je cherche des solutions. Mais tu as raison, ce n'est pas en recomptant mes sous sans cesse que l'argent va se multiplier.

— Ce serait trop le fun, si ça fonctionnait comme ça !

— *Acción, acción !* Je dois arrêter de réfléchir et me mettre en action.

Ingrid s'est sentie forte après le week-end, mais, dès le mardi, la peine a repris ses droits. Et son passage à la pharmacie n'a pas aidé. En payant pour ses achats, la commis, qui la connaît, se rappelle qu'Olivier a demandé des agrandissements de photos qui sont maintenant prêts. Certaine qu'il s'agit de photos pour son travail, Indrid continue ses courses et retourne à la maison quelques heures plus tard.

> J'ai pris tes photos à la pharmacie.

Quelles photos ?

Ingrid ouvre distraitement la grande enveloppe. Sur le papier glacé, Mélina la regarde avec un immense sourire, son visage est rougi par le froid et elle est sur le point de mettre la carotte sur le bonhomme de neige qu'ils ont fait chez Julie et William. C'est plus fort qu'elle, Ingrid éclate en sanglots. Lui arrive un texto d'Olivier, qui vient de se souvenir de quelles photos il s'agit.

N'ouvre pas l'enveloppe tout de suite.
On fera ça ensemble ce soir.

> Trop tard.

Merde. Es-tu correcte ?

> Oui, oui, ça va aller.
> T'en fais pas.

Je t'appelle après ma réunion.

Mario vient rapidement voir la maison de Marthe et Zachary. Il la connaît déjà, d'ailleurs. Il y est venu il y a quelques années quand Zachary avait pensé vendre après un revers financier. Il fait le tour en suivant une Marthe très fébrile. Ce n'est pas la première fois qu'il fait affaire avec des personnes âgées dans la même situation qu'elle et il sait trouver les mots pour la réconforter. Ils s'assoient pour discuter de la date d'occupation, de délai avant de mettre la pancarte et de l'annoncer dans tous les réseaux et, bien sûr, du prix qu'elle souhaite demander. C'est trop pour Marthe et elle n'arrive pas à se concentrer. Mario la rassure du mieux qu'il le peut et propose de faire une autre rencontre en compagnie de William. Marthe avoue qu'elle y avait pensé, mais qu'elle ne voulait pas le déranger encore une fois. Il est déjà si présent. Mario va se charger de contacter William pour régler les questions de logistique et de prix.

C'est encore sous le coup de ces émotions que Marthe arrive au centre pour voir Zachary. En entrant dans la chambre, elle soupire d'exaspération. Cécile est encore là, en train de jacasser. Marthe s'approche et interpelle la bénévole.

— Est-ce qu'il y aurait moyen de passer un peu de temps seule avec mon conjoint?

Cécile la regarde d'un air étonné.

— Bien sûr.

— Ce n'est pas ce qui va arriver si vous restez assise là. N'est-ce pas? lui envoie Marthe d'un ton sec.

Cécile se lève, confuse.

— Je suis désolée.

Avant qu'elle tourne les talons pour quitter la chambre, Marthe a le temps d'apercevoir des larmes dans les yeux de Cécile.

— Pourquoi tu lui parles comme ça? Je la trouve gentille, moi, lui dit Zachary.

Du coup, Marthe se sent mortifiée.

— Je ne sais pas ce qui m'a pris. La prochaine fois que je la verrai, je vais m'excuser.

Ingrid a beau être triste, et même un peu déprimée, elle refuse de se laisser couler comme la première fois. Elle appelle sa mère pour lui demander si elle peut prendre le chalet pour une semaine.

— Ton père devait aller peinturer la chambre, mais je suis certaine que ça le dérangera pas de reporter la tâche à une autre semaine.

— Sûre?

— Oui, oui. Ça va toi?

— Ça ira mieux dans une semaine.

— Je t'accompagnerais bien, mais avec ma mononucléose…

— De toute façon, je dirais non. Il faut que je passe du temps seule. J'ai besoin de faire le point après tout ce qui est arrivé.

— Passe une belle semaine, alors. Je suis toujours là si jamais tu as besoin de moi. À n'importe quelle heure du jour et de la nuit, tu le sais.

— Oui, m'man. Merci. Je t'aime.

Une fois Olivier avisé, elle prépare un petit bagage, trouve un cahier de notes qu'elle a reçu en cadeau à son dernier anniversaire et part immédiatement pour le chalet.

Marthe veut vraiment s'excuser auprès de Cécile d'avoir passé son stress et sa mauvaise humeur sur elle. Cette dernière, qui est pourtant au centre chaque jour, est introuvable depuis leur altercation. Marthe décide d'aller s'informer auprès d'une autre bénévole.

— Elle a averti qu'elle ne viendrait pas aujourd'hui.

— Elle est en vacances? demande Marthe.

— Je ne sais pas, je ne crois pas.

— Ah…

La bénévole se penche vers Marthe et lui dit à voix basse sur le ton de la confidence:

— On s'entend qu'on a la grosse paix quand elle n'est pas là. Pas vrai ? Méchante pie.

— Ben oui, bafouille Marthe, mal à l'aise. Merci pour l'information.

Marthe est mal à l'aise d'avoir entendu cette critique, dure et cruelle, sur Cécile. Même si c'est ce qu'elle pense un peu elle aussi – il faut quand même avouer que Cécile parle sans arrêt –, elle n'a pas aimé que cette femme, qu'elle n'a jamais vue, se permette de médire de Cécile. En retournant vers la chambre de Zachary, Marthe ne veut pas croire que Cécile s'est absentée à cause d'elle.

Quand Frédérick revient de travailler ce soir-là, il trouve Maria occupée à rédiger des petites annonces qu'elle ira porter dans les commerces du coin. Il en prend une et lit à voix haute.

— « J'offre mes services pour l'entretien de votre domicile. Grande expérience. Contactez Maria. » T'es sérieuse ?

— Si. *Porqué ?*

— Tu travailles déjà à faire le ménage de quatre heures à minuit dans des bureaux et tu vas travailler aussi de jour chez des gens ?

— Oui, mais pas tous les jours.

— Tu vas te brûler.

— Mais non. J'ai beaucoup d'énergie, tu sais.

— Oui, mais…

— Freddy, je veux aider Amalia. Je peux pas rester à rien faire.

— Mais tu lui envoies de l'argent chaque semaine.

— Je veux faire plus. Elle doit avoir plus de sous.

Maria se lève et prend le visage de Frédérick dans ses mains.

— Je changerai pas d'idée, *mi amor.*

Frédérick connaît sa Maria, maintenant. Si elle le dit, c'est que c'est vrai. Rien ne la fera déroger de son plan.

Ingrid est arrivée au chalet à la pluie battante. Le temps d'entrer ses bagages et ses sacs d'épicerie, elle était dégoulinante. Elle a rangé ses choses, puis, remarquant que personne n'était venu depuis un moment et que la place avait besoin d'un petit ménage pour chasser la poussière et les toiles d'araignées, elle s'est mise aussitôt à l'ouvrage et en a fait beaucoup plus que prévu. Elle a travaillé sans relâche tout l'après-midi, s'est couchée tôt et s'est remise à la tâche le lendemain matin.

Vers 13 heures, tout était impeccable. Mais Ingrid avait encore de l'énergie à dépenser. Les pots de peinture et les pinceaux pour la chambre étant là, sans doute apportés par William à son dernier passage, elle a décidé de peinturer la chambre elle-même. Elle s'est mise au travail avec énergie : a vidé la pièce, protégé le plancher de bois et donné une première couche.

Le lendemain matin, elle s'est levée aux aurores et, à peine son petit-déjeuner avalé, elle a donné la deuxième couche. À midi, les meubles étaient replacés et la chambre avait l'air pimpante avec ses nouveaux murs aqua. Elle a enfilé son maillot de bain et est descendue faire des longueurs dans le lac. Puis elle est revenue au chalet, fière d'avoir nagé sans arrêt pendant plus de quarante-cinq minutes, revigorée par l'eau encore très froide de juin.

Maintenant, Ingrid regarde autour d'elle, il n'y a plus rien à faire. Elle s'assoit sur le divan et constate qu'elle n'a pas pensé à Mélina depuis son arrivée, sauf peut-être hier soir avant de s'endormir. Elle réalise que, inconsciemment, elle s'est activée de la sorte pour s'étourdir et ne pas songer à la fillette. Mais elle est venue pour faire le point, pas pour fuir. *Il est temps de t'arrêter et de faire ce que tu es venue faire, Ingrid.* Elle a soudain un frisson d'appréhension. Et si elle allait tomber dans un abîme de chagrin ?

Elle a aperçu Cécile de loin, mais cette dernière l'évite. Marthe décide de ne pas laisser le malaise traîner plus longtemps. Elle attend qu'elle sorte de la chambre d'un résident et l'aborde.

— Bonjour, Cécile. Est-ce qu'on pourrait se parler ?

— Ça ne sera pas nécessaire. Je vous promets de ne plus aller voir Zachary.

— Hein ? Mais non. Ce n'est pas du tout ça que je souhaite. D'autant plus que Zachary adore vos visites.

— Marthe, je ne veux pas me chicaner avec vous, alors…

— Mais c'est tout le contraire. Allons nous asseoir dans la salle des visiteurs, d'accord ?

Cécile accepte de mauvais cœur et suit Marthe au bout du corridor comme si elle allait à l'échafaud. Les deux femmes s'assoient et Marthe prend la parole.

— Je voulais d'abord vous présenter mes excuses pour ma réaction de l'autre jour.

— Ah oui ? répond Cécile, visiblement surprise.

— J'avais eu un avant-midi éprouvant et j'ai passé mon anxiété et ma mauvaise humeur sur vous. Ça ne se fait pas et je suis vraiment désolée.

— Vous êtes excusée, bien sûr.

Cécile penche la tête et la relève en s'essuyant les yeux.

— Excusez-moi, dit-elle dans un souffle.

— Ben voyons, vous pleurez ?

— Je ne suis pas habituée aux excuses. Les gens ici ne m'aiment pas beaucoup. Il y a seulement les résidents, en fait, qui m'apprécient.

— Mais c'est donc bien triste ce que vous dites là. Ça se peut pas.

— C'est pourtant ça. Je ne les blâme pas, remarquez. Je comprends très bien pourquoi je tombe sur les nerfs du monde. Mais il y a des jours où je trouve ça plus difficile que d'autres.

— Pourquoi vous pensez ça ?

— Parce que c'est vrai que je suis agaçante. J'ai bien des défauts, mais je ne suis pas nounoune. Je parle tout le temps, je suis trop de bonne humeur de l'avis de la plupart des gens, trop positive aussi. Je le sais, l'effet que je fais au monde.

Marthe rougit un peu. Cécile dit exactement ce qu'elle pense d'elle, en utilisant pratiquement les mêmes mots. Cécile poursuit.

— Mais c'est plus fort que moi. J'ai déjà vu une psychologue pour m'aider à comprendre, pis à changer, mais je pense que je m'y suis prise trop tard. Je sais pourquoi je suis comme ça, mais j'arrive pas à changer.

Cécile explique alors à Marthe qu'elle était la cinquième d'une famille de huit filles et qu'elle a toujours eu l'impression d'être invisible dans la fratrie. Toute petite, elle a eu besoin d'attirer l'attention sur elle si elle ne voulait pas être oubliée et c'est la parole qui l'a sauvée. Plus tard, elle est devenue enseignante d'arts plastiques au primaire dans une école privée. Elle n'a jamais été mariée, n'a pas eu d'enfants. Toute sa vie, elle l'a passée en compagnie de bambins de six à neuf ans. Ça a renforcé ce pli de constante bonne humeur et de conversations continuelles dont elle n'arrive plus à se défaire. Étrangement, Marthe est touchée par cette confidence. Elles notent aussi qu'elles ont toutes deux enseigné, Marthe au public et Cécile au privé. Elles poursuivent leur conversation pendant de longues minutes. L'amitié commence à tisser ses liens.

Malgré les craintes, Ingrid décide donc de tout arrêter pour « se sentir ». Elle s'installe sur une chaise longue, à l'ombre, devant le lac. Elle ne prend avec elle que son cahier de notes et un crayon. La première chose qui monte en elle est la haine qu'elle éprouve pour Steve. Elle lui en veut tellement de lui avoir enlevé Mélina et de l'empêcher de la voir. Elle trouve que la vie est injuste, que Mélina aurait été tellement mieux avec eux, au contact d'une grande famille, d'oncles, de grands-parents. Avec Steve, c'est tout le contraire, car il est en froid avec sa famille depuis des années. Mélina ne connaîtra ni cousins ni cousines.

Ensuite, elle vit un moment d'apitoiement. L'univers semble s'être ligué contre elle pour qu'elle ne réalise pas son rêve le plus cher : devenir mère. Deux fausses couches et maintenant on lui enlève la petite fille qu'elle aime tant. Pourra-t-elle jamais s'attacher à un autre enfant ?

Ce soir-là, elle s'endort en pleurant.

Maria revient à l'appartement, tout excitée. Son annonce n'est en place que depuis quelques jours et elle a trouvé trois clients déjà. Encore plus formidable, elle a demandé vingt dollars de l'heure, comme le lui a conseillé une de ses copines, et ça a fonctionné. C'est beaucoup plus que ses ménages commerciaux payés au noir aussi, mais douze dollars de l'heure. Elle commence la semaine prochaine et voit ça venir avec beaucoup d'enthousiasme. Fred, qui ne veut pas être rabat-joie, tente de se réjouir avec elle.

— Je le vois bien que tu n'es pas content pour moi.

— Ben oui ! Je suis seulement un peu inquiet de voir que tu vas travailler à ce point-là.

— Trois places à quatre heures chaque fois, c'est douze heures de plus chaque semaine. Ce n'est rien, *mi amor*. Et je vais pouvoir envoyer tout à Amalia. Deux cent quarante dollars ! Tu imagines ce qu'elle va pouvoir faire avec une somme pareille !

— T'as raison. C'est pas si pire. Elle est chanceuse de t'avoir, ta sœur.

— Oh non, c'est moi, la chanceuse. Si tu savais tous les sacrifices qu'elle a faits pour moi. C'est grâce à elle si j'ai pu continuer mes études et venir au Canada aussi. Je lui dois tout.

Au fil des heures passées à réfléchir et à sonder son cœur, Ingrid a l'impression d'avoir épuisé tout ce qu'il y avait de négatif en elle. Elle entreprend alors de trouver du positif dans tout cela. Elle essaie de toutes ses forces et vient près de renoncer. *Qu'est-ce qu'il pourrait bien y avoir de positif à se retrouver les bras vides?*

Puis elle pense qu'Olivier et elle se sont beaucoup rapprochés. Voilà quelque chose de positif! Il n'est plus jamais question de la tromperie d'Ingrid lorsqu'elle est allée en week-end de ressourcement l'an dernier. Olivier lui a vraiment pardonné et la présence de Mélina dans leur vie y a grandement contribué.

Le temps passé avec Mélina, le bonheur qu'ils ont vécu quand elle était avec eux, ce sont des moments merveilleux et inoubliables. Ça, personne ne peut le lui enlever.

Elle réalise aussi qu'elle aime Mélina de tout son cœur, qu'elle soit avec elle ou pas. Quand elle pense à la fillette, c'est de l'amour pur qu'elle ressent et ça, c'est bon.

Elle se promet de se brancher sur cet amour-là plutôt que d'alimenter sa peine. Elle se promet aussi d'arrêter de dénigrer Steve. Elle l'a fait abondamment et qu'est-ce que ça lui a donné? N'a-t-elle pas lu quelque part que «nourrir du ressentiment, c'est comme boire chaque jour une petite dose de poison et s'attendre à ce que l'autre personne en meure»?

Et enfin, elle veut se préparer à accueillir un autre enfant. Pas tout de suite, mais elle le souhaite. Il n'y a pas de raison d'abandonner son rêve. Dans quelques mois, elle en fait le serment, elle sera prête.

En quelques jours seulement, Marthe et Cécile se sont beaucoup rapprochées. Elles passent de plus en plus de temps toutes les deux avec Zachary. Elles ont même lunché ensemble une fois ou deux. Car si Cécile parle beaucoup, quand elle se sent en confiance, elle sait écouter aussi. Marthe a besoin de se confier et le faire avec une étrangère lui facilite la tâche. De plus, qualité rare, Cécile ne se sent pas le besoin de donner son avis, des conseils ou de trouver des solutions à tout. Elle écoute attentivement, pose des questions pour que Marthe précise un détail, mais ne l'interrompt jamais pour parler d'elle.

William s'occupe de ce qui concerne la vente de la maison. Voilà un stress de moins pour Marthe. Mais elle doit à présent faire le tri, choisir soigneusement ce qu'elle apportera avec elle dans son petit appartement, ce qu'elle donnera à la famille et, le pire, ce qu'elle devra vendre. Penser à ça l'accable.

— J'ai jamais vécu un départ d'une grande maison. Je n'ai pas de famille à qui donner des choses, mais je suis une maudite bonne vendeuse par exemple, lui dit Cécile.

— Sans blague? Tu pourrais m'aider.

— Ben certain, pis en plus j'adore faire ça. Depuis toujours, j'achète et je revends mes affaires. J'ai souvent besoin de changement. Avant, avec les petites annonces, ça finissait plus de finir, mais maintenant, avec les sites Internet, c'est fou! Sais-tu combien de fois j'ai refait mon salon depuis cinq ans?

— Non, répond Marthe intriguée et amusée.

Cécile vient pour le dire, puis hésite et se tait.

— Quoi? demande Marthe.

— Non, je te le dis pas, tu vas penser que je suis complètement folle.

— Pas du tout! Je le sais déjà.

Les deux amies rigolent. Marthe insiste pour savoir.

— Cinq fois! avoue Cécile.

— T'as tout changé ton salon cinq fois en cinq ans?

— Oui! Campagnard, moderne, suédois, contemporain et, là, j'ai un style plus urbain.

— Mais t'as vraiment de l'énergie!

— J'aime ça. Alors vendre des meubles, c'est pas trop un problème pour moi.

— J'accepte ton offre avec grand plaisir. Et reconnaissance surtout.

Olivier sent la nouvelle énergie que dégage sa femme à son retour du chalet.

— T'as l'air plus légère, on dirait.

— Ça m'a fait tellement de bien, Oli.

Ingrid lui raconte toutes ses prises de conscience à propos d'elle, de Mélina et de Steve.

— Pour ce qui est de l'avenir, des autres enfants…

Olivier la coupe.

— Moi aussi, j'ai réfléchi.

— Ah oui?

— Je suis pas certain que je suis fait pour être un parent en banque mixte.

— Ah bon?

— Pour vrai, notre histoire avec Mélina m'a crevé le cœur. Je sais que je vais m'attacher à chaque enfant qui va venir ici et que, s'il repart, je vais encore trouver ça horrible.

— Mais ça peut tellement aider ces p'tits-là, plaide Ingrid.

— Je sais tout ça, mais je suis pas capable de le prendre.

— Fait qu'on n'aura pas d'enfant? demande Ingrid, triste.

— Si on avait la certitude qu'on allait pouvoir l'adopter, j'embarquerais.

— OK.

— Comprends-moi, Ingrid…

Bien sûr qu'elle comprend, mais ça risque de reporter leur projet d'avoir un enfant de plusieurs années, et peut-être même de le compromettre.

CHAPITRE 13

Ingrid a pris quelques jours pour digérer la conversation qu'elle a eue avec Olivier, pour accepter que son grand projet de vie, devenir mère, est remis en veilleuse… une fois de plus. Mais elle ne peut tout de même pas forcer son amoureux. Elle a finalement pris rendez-vous avec Céline au centre jeunesse. Celle-ci l'accueille avec chaleur. Ingrid tient à aviser la travailleuse sociale en personne des développements et des décisions prises de leur côté. Elle lui fait part du désir d'Olivier de stopper leur participation à la banque mixte.

— Oh, comme c'est dommage.

— Oui, je sais. Moi aussi, ça me fait un pincement au cœur de renoncer.

— T'aurais été prête à poursuivre ?

— Pas maintenant, mais plus tard, oui. Olivier se sent pas capable de revivre une grosse peine comme on a vécu avec Mélina.

— Il faut que tu respectes ça.

— Exactement. J'ai même pas essayé de le convaincre.

— Je te l'aurais déconseillé. Mais ça m'attriste quand même, vous êtes un si beau couple. Un très bon couple pour un enfant.

— Ça peut arriver des fois qu'il y ait des enfants à adopter directement ?

— Oui, mais c'est plus rare.

— Pour ça, on est partants. Pense à nous si jamais…

— Oui, oui.

Ingrid quitte le centre, un peu triste, mais le cœur en paix.

Rapidement, les trois clientes que Maria a trouvées, enchantées de ses services, l'ont recommandée à des amis. En plus de ses quatre jours de ménages commerciaux, Maria travaille maintenant pour six clients résidentiels. À son grand dam, elle a même dû en refuser, faute de temps.

— Il y a des gens qui ont des maisons tellement grandes, Freddy, tu devrais voir ça!

— Ah oui? s'intéresse Frédérick.

— Chez monsieur Rouleau, par exemple, tout est ultra-moderne. Il a des appareils que je ne sais même pas à quoi ils servent. La maison est *gigantesco*, dit-elle en faisant de grands signes des bras. Il y a d'immenses fenêtres.

— J'espère que c'est pas toi qui dois les laver.

— Oh non! rigole Maria. C'est haut comme deux étages. Il y a une compagnie qui vient une fois par mois. Il est très riche, le monsieur, mais très gentil aussi.

— Tant mieux.

— Les Québécois sont vraiment aimables.

Maria est si heureuse de pouvoir envoyer encore plus d'argent à Amalia. Mais ce que craignait Fred arrive. Maria est tout le temps très fatiguée, car elle doit se lever tôt sept jours par semaine et se donne beaucoup physiquement pour satisfaire sa clientèle. Bien qu'il se force à être compréhensif et aidant, Frédérick trouve ça contrariant de ne plus pouvoir sortir avec sa femme.

— Je suis désolée, Freddy, mais la dernière fois qu'on est allés souper, tu te souviens, je me suis couchée à vingt-trois heures ce vendredi-là et j'ai eu vraiment de la difficulté à faire ma journée ensuite. Je dois être en forme pour ne pas décevoir mes clients.

Et en effet, après ce repas, elle a refusé toutes les sorties de week-end qui lui ont été proposées pour pouvoir être au lit à vingt et une heures et debout le lendemain à cinq heures trente. Fred se retient de ronchonner.

Cécile est d'une aide inestimable. Elle passe beaucoup de temps avec Marthe et l'aide à trier et à choisir les meubles et les objets à garder, à vendre ou à donner. Elle a instauré un système de collants de différentes couleurs qui fonctionne à merveille. Et surtout, elle vend presque instantanément tous les meubles dont Marthe veut se départir.

— Tu es incroyable, Cécile.

— Je t'avais dit que j'étais bonne, rétorque son amie, ravie.

Cécile parle toujours de manière incessante, mais Marthe s'est habituée. Et elles se sont entendues sur un code pour que Cécile prenne une pause de babillage. Ainsi, quand Marthe est vraiment lasse, elle dit: «Oh, mon doux, je suis étourdie.» Cécile comprend alors que son amie n'en peut plus et elle change de pièce ou fait des efforts pour se taire. Cette compulsion à toujours parler est un mystère pour Marthe qui peut rester des heures silencieuse, même en compagnie de quelqu'un.

De son côté, Mario travaille fort pour vendre le domaine dans les meilleurs délais. Il emmène beaucoup d'acheteurs potentiels. Jusqu'à maintenant, il n'y a rien de concret, mais il a bon espoir de réussir. Marthe s'en remet totalement à lui. De toute façon, elle a tellement à faire d'ici son départ.

Zachary sort de moins en moins de son monde auquel Marthe n'a pas accès. Le mois de juillet est magnifique et Marthe l'emmène souvent sur la terrasse dans les grandes balançoires du jardin. Ils restent là une heure ou deux pendant que Marthe lui parle ou lui fait la lecture. Parfois, Cécile se joint à eux, mais elle a beaucoup d'autres résidents solitaires à visiter.

☙

C'est moi ou Maria parle beaucoup de son client, le gentil et riche monsieur Rouleau? se demande Frédérick, agacé. Mais non, Maria en parle très souvent et pas seulement le jour où elle va chez lui. Au détour d'une conversation, il réalise qu'elle lunche avec lui chaque fois qu'elle y fait le ménage.

— Hein? Ben voyons, réagit Fred. Comment ça?

— C'est agréable, c'est tout.

— Je veux bien, mais…

— La première fois, c'était un hasard, tente d'expliquer Maria.

— Comment ça, un hasard?

— Je croyais qu'il était parti, mais il était dans son bureau. Il est venu me rejoindre et on a mangé ensemble. Je trouve ça très délicat de sa part de ne pas me faire sentir comme… une domestique.

— Depuis quand le monde mange avec leur femme de ménage, dit Frédérick, agacé.

— Quoi? On n'est pas des gens assez bien pour toi? rétorque Maria, piquée à son tour.

— Tu sais bien que c'est pas ce que je voulais dire.

— Ah non? Alors qu'est-ce que tu voulais dire? lui demande-t-elle, presque agressive.

— Maria…

— Non! Tu es très insultant.

— Attends, je vais t'expliquer…

— J'ai très bien compris. Et, de toute façon, je n'ai plus le temps.

Maria attrape sa veste, son sac et sort sans ajouter un mot. Frédérick reste en plan, frustré.

Olivier est au lit, occupé à lire un roman policier. Dans la salle de bains attenante, Ingrid finit de se préparer pour la nuit. Le démaquillage, le nettoyage, le petit massage du bout des doigts partout sur son visage et finalement la crème de nuit. Olivier lève les yeux de son livre.

— T'es certaine de pas avoir sauté une des douze étapes?

Il se moque souvent de son long rituel. Ingrid le regarde par le miroir.

— Premièrement, c'est quatre étapes. Et c'est pour ça, tu sauras, que j'ai une peau de pêche.

Olivier veut répliquer, mais il est interrompu par la sonnerie du cellulaire d'Ingrid.

— Il est onze heures trente, veux-tu ben me dire qui t'appelle à cette heure-là?

Ingrid regarde son afficheur, intriguée. Elle s'assoit à côté de son mari.

— C'est Céline... Oui, allô?

— Ingrid, désolée de te déranger si tard.

— Non, non, c'est correct, j'étais pas couchée.

— J'ai une urgence. Steve vient d'être transporté à l'hôpital et la petite cocotte a personne pour s'occuper d'elle. Est-ce que vous accepteriez de la prendre?

— Quand?

— Maintenant.

Olivier, qui a tout entendu, fait signe que oui.

— OK.

— Elle sera chez vous dans une dizaine de minutes. Elle est secouée.

— Qu'est-ce qui est arrivé à Steve?

— On ne sait pas trop encore. À tout de suite.

— Oui.

Ingrid et Olivier se regardent.

— Qu'est-ce qui lui est arrivé, tu penses? demande Olivier.

— Un accident d'auto? suggère Ingrid.

— Peut-être. On va le savoir dans quelques minutes.

— Je vais préparer la chambre de Mélina, dit Ingrid.

Dix minutes plus tard, Ingrid ouvre la porte à une travailleuse sociale qu'elle ne connaît pas, qui tient Mélina dans ses bras. Visiblement, la petite a beaucoup pleuré, elle a encore le souffle court et le visage rougi. Ingrid note aussi que la petite a les vêtements tout sales, les cheveux emmêlés – sans gomme cette fois, ô miracle – et elle sent très mauvais. Mélina tend les bras à Ingrid.

— Maman Ingrid!

Ingrid la prend aussitôt et la colle contre elle.

— Je croyais que c'était Céline qui devait venir.

— Elle s'excuse, elle a eu une autre urgence. Grosse soirée! dit la jeune femme. Elle a besoin d'être réconfortée, la belle Mélina. Et elle a faim.

Olivier vient les rejoindre.

— On va bien s'en occuper, hein, Mélinette? dit-il tandis que la fillette tend la main pour toucher Olivier qui l'embrasse avec tendresse.

— On va d'abord prendre un bon bain et après on va manger un petit quelque chose. OK?

Mélina fait oui de la tête. Pendant qu'Ingrid emmène la petite vers la salle de bains, Olivier s'informe.

— Qu'est-ce qui se passe avec Steve?

— Il a été emmené d'urgence à l'hôpital.

— Je sais ce bout-là. Mais pourquoi? Qu'est-ce qui s'est passé? Un accident?

— J'en sais pas plus que vous. Désolée. Céline va vous appeler demain.

À trois heures du matin, Mélina n'a pas encore fermé l'œil. Ingrid a dû rapidement aller la chercher dans sa chambre et l'emmener dans la leur. Elle s'est assise dans le fauteuil, Mélina dans les bras, pour attendre que la petite s'endorme, mais Mélina résiste. Dès qu'elle commence à glisser dans le sommeil, elle se réveille en sursaut, apeurée. Elle se calme en voyant Ingrid, mais reste tremblante de longues minutes. Ce manège dure quelques heures, puis elle finit par tomber, épuisée, vers cinq heures.

Ingrid a couché Mélina dans leur lit et elle dort encore à onze heures le lendemain. Elle a laissé un message à Céline qui tarde à la rappeler. Le couple se demande ce qui a pu arriver pour mettre Mélina dans cet état de peur quasi permanente. À midi, alors que Mélina dort encore, Céline sonne à leur porte pour venir leur donner des nouvelles.

— Quelle nuit, commence-t-elle.

— Oui, on a su que tu avais eu une autre urgence.

— Deux autres. C'est la pleine lune. Ça déraille souvent, dans ce temps-là. Mais je suis là pour vous parler de Steve. Il a été emmené à l'hôpital, parce qu'il a fait une surdose de drogue.

— Hein? dit Olivier. Il avait pas complètement arrêté?

— Oui, mais il a rechuté. Durement.

— Comment il va? demande Ingrid.

— Encore dans le coma. Les médecins ne savent pas s'il va s'en sortir.

— Oh, mon doux, mais c'est épouvantable.

— Oui, il y a des rechutes qui ne pardonnent pas. J'espère que ce ne sera pas son cas.

— Qu'est-ce qui va arriver à Mélina? s'inquiète Ingrid.

— Je préfère attendre de parler avec mon patron avant de discuter de son avenir. D'accord?

— OK.

— Je suis venue vous demander si vous accepteriez de la garder jusqu'à nouvel ordre.

— Oui! disent Ingrid et Olivier d'une même voix.

— Merci. Je suis très heureuse de ça. Faut que je vous dise aussi... Elle est où, la petite?

— Elle dort encore, répond Olivier.

— Je comprends qu'elle n'a pas eu une très bonne nuit.

— Horrible, dit Ingrid.

— Je vais vous expliquer ce qui s'est passé pour que vous puissiez prendre soin d'elle en toute connaissance de cause.

Céline explique alors que c'est une voisine qui est entrée chez Steve parce qu'elle entendait Mélina pleurer depuis des heures. Elle l'a trouvée assise à terre à côté de Steve qui était étendu de tout son long dans son vomi, inconscient.

— Elle a dû essayer de le « réveiller ».

— Combien d'heures ? demande Olivier.

— La voisine dit qu'elle a commencé vers dix-huit heures et on est arrivés autour de vingt-trois heures.

— Cinq heures. Pauvre p'tite, elle peut bien être traumatisée.

— Je compte beaucoup sur le calme et l'amour qu'elle va trouver ici pour qu'elle aille mieux très vite.

Pour favoriser une réconciliation, Frédérick a préparé un repas spécial un soir où les autres colocs sont absents. Quand Maria aperçoit la table impeccablement dressée, les chandelles et tout le mal que s'est donné Frédérick pour lui préparer une *bandeja paisa,* un plat classique colombien, elle fond.

— Oh, *eres un amor* !

Frédérick va la prendre dans ses bras.

— Je déteste ça quand on se chicane. Je suis désolé pour l'autre fois.

Pour toute réponse, elle l'embrasse passionnément.

Ce souper les a rapprochés comme avant, mais Maria ne reparle pas de monsieur Rouleau. Autant ça agaçait Fred qu'elle en parle, autant ça l'agace qu'elle n'en parle plus. Il a l'impression qu'elle lui cache des choses. Pour éviter une autre querelle, il se tait et garde ses doutes et ses questions pour lui. Mais il y pense souvent. Trop souvent.

Quand Cécile arrive chez Marthe ce matin-là, elle la trouve en larmes. Cécile prépare une théière et elles vont s'asseoir sur la terrasse. Cette matinée de juillet est particulièrement agréable, très ensoleillée, mais pas trop chaude encore.

— Raconte-moi ce qui se passe.

— J'ai reçu une offre d'achat, hier soir. Au prix qu'on a demandé.

— C'est une bonne nouvelle, ça.

— Oui, oui. Mario, mon courtier immobilier, va venir me faire signer les papiers tantôt.

— Mais alors? Qu'est-ce qui t'attriste tant?

— Je suis partagée. À la fois heureuse de vendre, mais triste aussi parce que j'ai tellement aimé vivre ici. Avec Zachary.

— C'est la fin d'une époque.

— J'ai soixante-dix-neuf ans, Cécile. Ce n'est pas seulement la fin d'une époque. C'est le début de la fin pour moi aussi.

— C'est vrai.

Une fois de plus, Marthe est reconnaissante que Cécile ne tente pas de la rassurer avec des mots vides ou des clichés.

— As-tu déjà eu cette impression-là, toi aussi? demande Marthe à son amie.

— Oui. Quand j'ai déménagé la dernière fois, j'ai réalisé que ça serait mon dernier déménagement.

— C'est exactement ce que je me suis dit. Ça m'a donné le vertige.

— Je comprends.

— Tout ça a passé tellement vite. Je ne me sens pas à la veille de mes quatre-vingts ans. Quoique... depuis la maladie de Zachary, j'ai pris un sapré coup de vieux.

— S'il fallait compter tous les deuils qu'on doit faire dans une vie... dit Cécile.

— On essaie de continuer après chacun. Il y en a de plus difficiles que d'autres. Toi, c'est quoi le pire que tu as dû affronter?

— Le départ de mon grand amour, Francis.

— Il est décédé?

— Non, il est parti vivre en Angleterre avec sa famille.

— Ah… Un homme marié.

— Oui. On a été quinze ans ensemble. Ça a été terrible de le voir partir. Il est toujours là-bas d'ailleurs.

— T'as rencontré personne après lui?

— Je ne voulais pas. J'avais cinquante ans et je savais que je l'oublierais jamais.

— Et?

— J'avais raison. Je pense encore à lui chaque jour. Au fil du temps, la douleur s'est transformée en peine et la peine en douce nostalgie. Aujourd'hui, tout ça s'est apaisé et, quand je pense à lui, c'est avec amour, seulement avec beaucoup d'amour.

— Tu m'impressionnes, c'est d'une grande sagesse.

— Ah, mon doux, s'exclame Cécile en riant. Moi, sage! Ça m'a pris plus de vingt ans pour en arriver là.

— Quand même… répond Marthe, heureuse d'en avoir appris un peu plus sur sa nouvelle amie.

— Alors toi, ces larmes-là, ce matin, c'était quoi?

— Toutes sortes de choses mélangées.

— Un maelstrom d'émotions.

— Exactement. Bien dit.

Elles se sourient, complices.

Frédérick sait qu'il ne devrait pas faire ça, mais c'est plus fort que lui. Il n'a pas l'intention de faire quelque chose ni de parler à cet homme, mais il veut voir. Ce matin-là, quand Maria part pour faire le ménage chez Rouleau, Fred décide de la suivre. À peine parti, il hésite et pense faire demi-tour, mais il poursuit finalement sa filature malgré son sentiment de culpabilité.

La maison est en effet spectaculaire. Immense, des vitres sur toute la façade, un grand terrain. Monsieur Rouleau gagne visiblement très bien sa vie. Frédérick ne peut s'empêcher de trouver ça un peu fou que cette gigantesque maison n'abrite qu'une seule personne. De loin, il voit Maria entrer dans la résidence. Frédérick est debout sur le trottoir, se sentant un peu niaiseux. Ça lui donne quoi d'être venu jusqu'ici? Voir la maison, protéger Maria? Mais de quoi au juste?

Un instant plus tard, une auto sort du garage, une luxueuse Land Rover, un homme d'une quarantaine d'années est au volant. Frédérick fait quelques pas pour pouvoir mieux voir le fameux Rouleau. Il est dérangé par des coups donnés dans une fenêtre de la maison. Il se tourne et aperçoit Maria qui cogne, l'air furibond. « *Oups, shit, je me suis fait prendre comme un épais.* » Il voit Maria disparaître. Un instant plus tard, elle ouvre la porte à la volée et court vers lui, chiffon à la main.

— Qu'est-ce que tu fais là?

— Euh… rien.

— Frédérick Harrison, *me espías.*

— Quoi? demande Frédérick qui ne comprend pas ces mots.

— Tu m'espionnes!

— Non, c'est pas ça.

— Qu'est-ce que tu fais ici alors?

— Je sais pas trop. Je voulais voir la grosse maison dont tu m'as parlé.

— *Mierda!*

— Je sais pas, j'étais inquiet…

— Inquiet de quoi?

— Je le sens pas, ce gars-là.

— *Mierda! Mierda! Mierda!*

— Maria…

— Une chance qu'il n'était pas là. J'aurais eu l'air de quoi? Va-t'en maintenant. On discutera de tout ça ce soir.

— OK, répond Frédérick, piteux.

Maria se dirige vers la grande maison sans se retourner. Frédérick reprend le chemin de l'appart, pressentant que la discussion de ce soir ne sera pas de tout repos.

Steve est sorti de son coma depuis quelques jours déjà. De l'avis des médecins, il l'a échappé belle. Ingrid met de côté ses réticences et décide d'aller le voir à l'hôpital au retour d'une visite à son grand-père au centre. En entrant dans la chambre de Steve, elle a un choc. Lui qui était déjà très mince la dernière fois qu'Ingrid l'a vu, il est maintenant émacié. Les cheveux longs et gras, le teint blafard : il ne paie pas de mine. Il sourit quand il aperçoit Ingrid.

— T'es ben la dernière personne que je m'attendais à voir icitte.

— Paraît que tu n'as pas beaucoup de visite.

— Non.

— Ta famille est en Ontario, c'est ça ?

— Oui, mais ils pourraient tous être en Australie, on se parle pus depuis un bon boutte.

— Dommage.

— Si tu les connaissais, tu dirais pas ça. Comment va Mélina ?

— Mieux. Mais c'est pas *top*.

— Je m'en veux en estie, dit Steve en baissant la tête. J'ai honte là…

— Je comprends.

— Ça t'a pas tenté de l'emmener avec toi ?

— Non, répond Ingrid fermement. C'est trop risqué pour elle. S'il fallait que tout lui revienne en te voyant. Je veux vraiment pas lui faire vivre ça.

— Moi non plus, l'assure Steve.

— J'ai validé avec Céline et elle m'a confirmé que j'avais raison.

— J'ai jamais voulu qu'elle vive une affaire de même.

— Je le sais, mais…

— J'avais juste à pas me geler. Je sais ça. Ça faisait quatorze mois que j'avais touché à rien. Estie de con.

— Bon…

— Tu t'en vas déjà ?

— Je suis juste venue te dire que Mélina va mieux.

— OK. Merci.

— Bye. Prends soin de toi.

— Ouain.

Ingrid quitte la chambre, soulagée, avec l'impression d'avoir fait sa B.A. Elle n'éprouve plus de colère envers Steve. Elle trouve seulement que sa vie est triste et qu'il est bien seul.

Avec la vente de la maison et le ménage à faire, Marthe est moins allée au centre qu'elle ne l'aurait voulu. Elle a téléphoné aux petits-enfants de Zachary et leur a demandé d'être plus assidus. Ils ont tous accepté, même si Brian et Frédérick sont loin de Granby. À leur âge, une heure de route n'est pas un empêchement. Zachary est toujours content de les voir, mais ne les reconnaît pas toujours. Il a appelé Fred « William » à sa dernière visite.

Tout le monde là-bas, employés et bénévoles, aime Zachary. Avec la maladie, il a perdu toutes ses aspérités, on dirait. Il est patient, reconnaissant et doux comme il ne l'a jamais été. Finis les colères, les mouvements d'impatience et la grosse voix impressionnante. Son gros lion est presque devenu un mouton.

Frédérick attend Maria ce soir-là pour qu'ils puissent revenir sur l'incident du matin. Il a décidé de jouer franc-jeu.

— C'était vrai quand je te disais que j'étais inquiet, mais surtout je suis jaloux.

Alors qu'il s'attendait à une engueulade en règle, voilà que Maria sourit. Comme si de voir Frédérick jaloux ne la choque pas, mais la touche.

— Jaloux? répète-t-elle.

— Oui.

— De monsieur Rouleau? s'exclame Maria avec de grands yeux surpris.

— Ben oui, rétorque Frédérick, penaud.

— *¿En serio, cariño[7]?*

— Oui.

— Monsieur Rouleau est vraiment plus vieux que moi, tu sais, il a quarante-quatre ans!

— Pis?

— Il est comme un père pour moi. Il est gentil, pas du tout flirt. Il me donne de bons conseils aussi. *Como lo haría un papá[8].*

— Ah, ouain?

— Je t'assure. Tu n'as aucune, absolument aucune raison de t'inquiéter.

Cet aveu de jalousie est pris comme une preuve d'amour par Maria. Frédérick a l'impression de s'en tirer à bon compte. La jalousie n'est pas un sentiment qu'il valorise, au contraire d'elle. Maria se love dans ses bras. Il se sent rassuré de voir qu'elle ne semble pas du tout voir Rouleau comme un amant potentiel.

❧

Ça fait deux fois que Marthe tente de joindre Cécile, mais cette dernière ne répond pas au téléphone. Des gens viennent chercher la grosse commode de la salle à manger ce matin et Marthe ne connaît pas les détails de la transaction. Quelques minutes plus tard, on sonne à la porte. Marthe va répondre avec soulagement,

—————————————

7. Tu n'es pas sérieux, mon chéri?
8. Comme un papa le ferait.

croyant trouver Cécile devant elle, tout en excuses, mais non. C'est l'acheteur qui est là. Marthe louvoie pour faire croire qu'elle est au courant des détails. Elle peste intérieurement contre Cécile qui la laisse se débrouiller avec ça.

Maria est arrivée chez monsieur Rouleau et travaille depuis à peine trente minutes quand l'homme vient la voir et lui demande de prendre une pause. Maria trouve ça un peu étrange, on est encore loin de l'heure du lunch, mais elle le suit au salon. Jamais encore, ils ne se sont assis dans cette pièce. D'habitude, ils restent dans la cuisine. Les inquiétudes de Fred lui reviennent en tête. Devrait-elle avoir peur? Monsieur Rouleau lui fait signe de s'asseoir. Elle prend place sur le grand canapé gris souris.

— Maria, ça fait un moment que je souhaite te parler, commence monsieur Rouleau.

— Ah bon? Qu'est-ce que vous souhaitez me dire, monsieur Rouleau?

— Mon prénom est Éloi.

Une petite lumière rouge s'allume dans la tête de Maria. Pourquoi lui dire son prénom? Elle se sent subitement mal à l'aise. Elle se lève.

— Je dois retourner travailler, sinon je…

— Non, non, reste, s'il te plaît.

Maria se rassoit et écoute la surprenante demande de monsieur Rouleau.

Marthe est vaguement inquiète, car elle n'a pas encore eu de nouvelles de Cécile. Comme elles ne se connaissent pas depuis longtemps, Marthe s'est dit que cette attitude était peut-être dans les habitudes de sa nouvelle amie. Peut-être aussi a-t-elle trouvé que

Marthe se reposait trop sur elle pour la vente de ses meubles et qu'elle a choisi de s'éloigner un peu. Quoi qu'il en soit, ce silence est inconfortable. Marthe préférerait de loin que Cécile lui dise carrément ce qui ne lui convient pas, plutôt que de la laisser se faire mille scénarios.

Elle arrive au centre à son heure habituelle et se rend dans la chambre de Zachary. À peine a-t-elle retiré sa veste qu'une préposée vient la voir.

— Madame Brabant?

— Oui, Line?

— Ça va? demande-t-elle avec sollicitude.

— Oui, bien sûr, répond Marthe en souriant.

La préposée semble décontenancée par cette réponse. Une pointe de panique passe dans son regard. Elle tourne les talons et sort. Intriguée, Marthe la suit dans le corridor où quelques employées sont réunies, en conciliabule.

— Qu'est-ce qui se passe? s'informe Marthe, prise d'un mauvais pressentiment.

L'infirmière-chef s'approche. Elle, d'habitude énergique, volubile et un peu raide, est toute douce.

— Vous n'êtes pas au courant, n'est-ce pas?

— Au courant de quoi? Vous m'inquiétez là…

— C'est à propos de Cécile…

— Il lui est arrivé quelque chose? Un accident?

L'infirmière-chef fait asseoir Marthe dans un fauteuil et se penche près d'elle.

— Cécile a fait un infarctus hier matin en sortant de chez elle.

— Oh, mon doux… s'exclame Marthe, la main sur la bouche. Elle est où? À l'hôpital, ici, à Granby?

— Madame Brabant, je suis vraiment désolée… Cécile est décédée.

Marthe en a le souffle coupé. Elle reste de longues minutes, bouche bée, incapable de réagir à ce nouveau coup du sort.

Malgré tous les bons soins d'Olivier et d'Ingrid, Mélina peine à retrouver son équilibre. Les nuits sont encore difficiles et elle est très nerveuse. Le moindre bruit la fait sursauter.

— On ne sait pas ce qui s'est passé dans sa petite tête pendant qu'elle était assise dans le vomi de Steve, dit Ingrid. À côté de son père inconscient qui ne répondait plus.

— Pauvre cocotte, ajoute Olivier.

Ils ont appris que Steve était sorti de l'hôpital et se demandent combien de temps encore ils auront Mélina. Elle est revenue dans leur vie et c'est comme si elle n'était jamais partie. Ils sont tous les trois retombés dans leur routine rassurante. Olivier la traîne encore avec lui pour faire toutes les courses le week-end, Ingrid reste avec elle le jour. Pas question de l'envoyer à la garderie tant qu'elle ne sera pas totalement remise. Le cellulaire d'Ingrid sonne, l'afficheur lui indique que c'est Céline.

— Oui, allô?

— Pourriez-vous venir à mon bureau, Olivier et toi, ce midi?

— Oui, oui. Je suis certaine qu'il va pouvoir se libérer. Les nouvelles sont bonnes ou mauvaises?

— On se voit tantôt et je vous dis tout ça, répond Céline d'un ton neutre.

Ingrid raccroche, résignée. Elle sait qu'elle est repartie pour une troisième séparation, un troisième deuil de Mélina.

CHAPITRE 14

Ingrid a demandé à un William enchanté de garder Mélina. Puis elle est passée prendre Olivier chez DuoBuzzz et ils se sont mis en route pour le centre jeunesse.

— Qu'est-ce qu'elle va nous dire, tu crois?

— Je sais pas. J'ai vraiment tout fait pour éviter d'y penser.

— Mais vu que Steve est sorti de l'hôpital…

— Ouain, exactement.

— Pis sa rechute ne comptera pas, regarde ben ça, dit Olivier, désabusé.

— Elle va nous demander de la garder quelques mois.

— Pis on va s'attacher, pis on va encore se briser le cœur, complète Oli.

— On fait quoi si elle nous fait cette demande-là?

— Ça va dépendre de la durée.

— Tu penses qu'on va être capables de refuser si c'est trop long?

— Ahrrhh, je le sais plus.

Après s'être informée de Mélina, d'avoir donné des nouvelles de Steve qui va mieux et qui devrait recommencer à travailler la semaine prochaine, Céline arrive enfin dans le vif du sujet.

— Pour ce qui est de Mélina…

L'angoisse étreint le cœur d'Ingrid. Elle ferme les yeux pour entendre la suite, comme si le coup allait être moins dur.

— Dans les derniers jours, Mélina a fait l'objet d'une table de révision pour faire le point sur sa situation. On a tenu compte de la rechute de Steve et, vu les délais maximums de placement et de l'instabilité vécue par Mélina, un retour chez lui ne sera pas envisagé. De toute manière, Steve ne veut plus l'avoir, il ne se fait plus confiance. Le réviseur recommande de faire les démarches pour vous déclarer admissibles à l'adoption. Il va donc y avoir une ordonnance du tribunal de la jeunesse qui va couper le lien de filiation entre Mélina et son père biologique.

Ingrid ouvre les yeux. A-t-elle bien entendu?

— Quoi? lance-t-elle, bouche bée.

— On aurait Mélina avec nous tout le temps? demande Olivier.

— Oui.

— Et personne ne pourrait revenir et nous l'enlever? vérifie Olivier.

— Exactement, répond Céline avec un sourire. En attendant l'adoption finale, d'ici six à neuf mois, la DPJ va faire office de tuteur.

Ingrid et Olivier se regardent, les yeux pleins de larmes.

— Oh, mon Dieu, je peux pas le croire, dit Ingrid.

— Pour vrai, c'est la plus belle nouvelle que j'ai eue depuis un maudit boutte, s'exclame Olivier, tout sourire.

— J'étais certaine d'avoir encore une mauvaise nouvelle en venant ici, ce midi. Je m'étais préparée au pire. Je suis tellement heureuse, là! poursuit Ingrid.

— Alors, on va de l'avant avec cette recommandation-là?

— Tellement! répondent en chœur Ingrid et Olivier.

❧

Marthe s'est présentée à l'église tôt. Le cercueil contenant la dépouille de Cécile arrivera dans une trentaine de minutes. Sans famille, se sachant seule, Cécile avait tout prévu pour la fin de sa vie. Elle avait fait depuis longtemps des préarrangements très précis et détaillés. Organisée, elle n'avait rien laissé au hasard pour que personne ne soit dans l'embarras. Sans être informée des détails, Marthe avait été mise au courant de cela lors d'une des nombreuses conversations qu'elle avait eues avec son amie dans les dernières semaines. Aujourd'hui, elle pouvait constater à quel point tout était parfait. Même une petite réception était prévue après le service religieux. Marthe salue deux bénévoles du centre qui viennent d'arriver. Elle regarde l'heure, il ne reste qu'une quinzaine de minutes avant le début de la cérémonie. Ne seront-elles que trois à y assister? *Quelle tristesse d'être aussi seule,* se dit Marthe.

Quelques minutes avant dix heures, des gens commencent à entrer et, dans les minutes qui suivent, l'église se remplit de dizaines de personnes de tous âges. Bientôt, il n'y a plus de place pour s'asseoir. Certains sont obligés de rester debout à l'arrière. Toutes ces personnes ont un autocollant sur leur vêtement où sont inscrites des années. En fait, il y en a pour presque toutes les années entre 1964-65 et 2006-07. Marthe apprend ainsi que tous les élèves de Cécile se sont rejoints sur Facebook et ont convenu d'assister aux funérailles de cette enseignante qu'ils ont adorée. Les plus âgés d'entre eux ont maintenant soixante et un ans et ils se sont souvenus d'elle. Marthe est émue aux larmes. Accompagnée d'une guitare et d'un piano, une voix commence à chanter *Hallelujah* de Leonard Cohen, la chanson préférée de Cécile. Marthe se retourne pour voir entrer le cercueil dans lequel repose la dépouille de son amie. Elle peut ainsi voir la foule réunie pour Cécile. Spontanément, quand la chanteuse entonne le refrain, toutes les personnes présentes commencent à chanter la chanson, elles aussi. Bientôt l'église est remplie de ces dizaines de voix qui chantent *Hallelujah* pour madame Cécile. Marthe est certaine que, de là-haut, son amie est comblée.

Maria a attendu quelques jours avant de parler à Frédérick de la demande de monsieur Rouleau. Elle avait d'abord à se faire une idée par elle-même avant d'en discuter avec son mari. Maintenant qu'elle y a bien réfléchi, elle se sent d'attaque pour convaincre son Freddy.

— Monsieur Rouleau m'a proposé quelque chose, l'autre jour.

— Ah bon? Quel genre de chose?

— D'abord, je voulais mentionner que tu as été jaloux pour rien du tout. Éloi est homosexuel.

— Éloi. Tu l'appelles par son prénom maintenant?

— À sa demande.

— Alors qu'est-ce qu'il veut, ce cher Éloi?

— En fait, c'est que lui et son chum souhaitent, depuis très longtemps, avoir un enfant.

— OK. Et?

— Il m'a demandé d'être mère porteuse.

Frédérick est sans voix.

— Et il m'a promis beaucoup d'argent pour le faire.

— Tu me niaises.

— Non. Et je trouve que c'est une très bonne idée.

— Je peux pas croire.

— Allez Freddy, ça durerait un an, ils paient pour tout: l'insémination, tout ce qui concerne la grossesse, les vêtements, les suppléments et en plus, il va me donner 50 000 $. Tu te rends compte!

Frédérick est catastrophé.

— T'as pas dit «oui», j'espère?

— Pas encore. Je voulais en discuter avec toi avant.

— Refuse! Je suis tellement pas d'accord.

— Freddy!

— Tu porterais un autre bébé que le nôtre! Te rends-tu compte?

— Ça empêche rien. Toi et moi, on fera un bébé plus tard, quand je serai citoyenne canadienne.

— Maria, non.

— Tu veux m'empêcher de gagner 50 000 $? Tu imagines ce qu'Amalia pourrait…

— Non, arrête. Pas de chantage émotif avec ta sœur.

— C'est vrai quand même.

— Tu envoies presque toutes tes paies là-bas. Ta sœur n'a pas besoin de 50 000 $.

— Je lui en enverrais une partie et on garderait l'autre. Tu imagines tout ce qu'on pourrait faire avec cet argent, toi et moi?

La conversation ne mène nulle part. Maria est convaincue qu'il s'agit là d'un projet merveilleux et Frédérick ne peut se faire à l'idée que Maria accueille en elle le sperme d'un étranger et porte son enfant. Non. Ils conviennent d'y réfléchir encore, mais ils savent tous les deux qu'ils ne changeront pas de position. Ce soir-là, Fred va jouer au basketball pendant trois heures d'affilée. Même ça ne le libère pas de sa colère.

Rien n'a vraiment changé, mais en même temps tout est différent. Ingrid et Olivier sont tellement heureux de savoir que Mélina est avec eux pour de bon. Ils se permettent enfin de faire des plans d'avenir qui l'incluent, discutent à nouveau de l'idée d'acheter une maison et sont sur un nuage rose permanent depuis leur visite au centre jeunesse. Ingrid évite de penser à Steve, parce qu'elle a l'impression de profiter de son malheur. Quand elle se réveille la nuit parce que Mélina pleure, sa première pensée angoissée se transforme dès qu'elle se souvient que la petite est avec eux pour toujours. Ingrid sait que sa Mélina va bientôt oublier cet affreux moment chez son père naturel, qu'elle va retrouver son équilibre et sa joie de vivre, et qu'ils vont la voir grandir. Elle prend sa co-cotte dans ses bras et la rassure.

— Tu ne cours plus aucun danger, maintenant. Je serai tou-jours là pour toi, Mélinette, lui murmure-t-elle à l'oreille.

Offre, contre-offre, le domaine est finalement vendu. Assise devant Mario, Marthe signe le document qui officialise son accord. La famille qui achète souhaitait occuper la place le plus tôt possible et Marthe a été contente de ça. Elle n'aurait pas pu vivre des mois et des mois dans une maison à moitié vide en attendant de s'installer dans son nouveau logis. Rapidement, elle a trouvé un joli quatre et demie en face d'un parc : exactement ce qu'elle cherchait. Des pièces de bonne taille, bien éclairées, dans un petit bloc un peu vieillot, mais impeccablement entretenu de six appartements.

Grâce à Cécile, tout ce qu'elle voulait vendre est vendu et tout ce qu'elle voulait donner est donné. Elle s'ennuie beaucoup de son amie. Même ses bavardages incessants lui manquent. Qui eût cru que Marthe s'attacherait autant en si peu de temps ? Depuis qu'elle a perdu Cécile, elle se sent souvent très seule. Elle visite Zachary aussi régulièrement, mais son gros lion est maintenant silencieux. Olivier passe la voir chaque semaine, sa belle-fille Hélène aussi, mais ils sont toujours un peu pressés par leur vie trépidante et c'est très bien comme ça. Elle a eu cette vie-là, elle aussi, à une autre époque. Qui a envie de passer son temps avec une vieille dame à part une autre vieille dame ? Marthe lève les yeux au ciel. *Veille sur moi, Cécile.*

Frédérick rentre plus tôt que prévu à l'appartement. Le proprio du resto, devant le manque de clients ce soir-là, l'a renvoyé chez lui deux heures avant la fermeture. Il entend la voix de Maria qui parle en espagnol, sans doute à quelqu'un de sa famille. Il s'approche en silence, mais n'arrive pas à comprendre vraiment. En effet, Maria est en conversation Skype avec Amalia. Elles parlent si vite que Fred peine à comprendre les mots, mais il saisit rapidement le sujet : Maria, mère porteuse. Amalia semble hors d'elle.

Maria perd peu à peu son assurance devant sa sœur aînée qui lui parle avec colère. Fred comprend avec soulagement qu'Amalia est une alliée. Il espère de tout son cœur qu'elle saura la convaincre. Quand Maria raccroche, elle ne vient pas le voir. Et quand il va se coucher près d'elle, elle dort déjà.

Ingrid n'ose pas en parler à Olivier, mais elle a un léger retard dans ses règles et se sent épuisée depuis quelque temps. Bien sûr, Mélina la réveille une nuit sur deux, mais, somme toute, elle dort bien, se nourrit bien… C'est bizarre… Soudain, elle y pense. Mais non, c'est pas possible : elle a un stérilet.

Aussitôt revenue de la pharmacie, Ingrid fait le test de grossesse, qui s'avère positif.

— Je suis enceinte, se dit-elle à mi-voix.

Elle reste immobile, le petit bâton de plastique dans la main, incrédule. Comment cela est-il possible avec un stérilet ? Pourquoi doit-elle faire face à ça maintenant, après tout ce qu'elle a vécu récemment ? *Mais qu'est-ce que la vie essaie de m'envoyer comme message ?* Ingrid remet le bâton et la boîte vide dans le sac puis dans son sac à main. Elle a besoin de réfléchir.

C'est jour de déménagement pour Marthe. William, Julie, Hélène et son conjoint Gabriel ont tout organisé durant la semaine précédant le jour J. Ils ont emballé toutes ses possessions avec une efficacité redoutable. La journée est bien remplie et Marthe peut coucher dans son nouveau logement ce soir-là. Il ne lui reste que quelques boîtes personnelles à trier et à ranger.

— J'ai pas la force de vous inviter ce soir, mais j'aimerais bien tous vous recevoir ce week-end quand j'aurai tout placé ici.

Tous acquiescent avec enthousiasme.

Le samedi suivant, Hélène et Julie débarquent chez Marthe tôt le matin.

— On a accepté votre invitation à souper, mais c'est nous qui prenons le repas en charge.

— Ben voyons, proteste Marthe.

— Vous avez déménagé cette semaine, Marthe. C'est épuisant. Vous avez besoin de relaxer. On vous a réservé une journée chez Inspiration Beauté à Bromont. Ingrid va aller vous reconduire et, de dix heures à seize heures, vous allez vous faire bichonner, poursuit Julie.

— Coiffure, manucure, pédicure, facial. La totale. Vous allez relaxer pendant qu'on prépare le souper toute la gang ensemble.

— Mais on ne peut pas faire ça, proteste Marthe. Depuis quand les invités préparent le souper ?

— Depuis maintenant, dit Julie.

Elles entendent un son de klaxon dehors.

— C'est Ingrid. Allez, ouste !

— On dirait bien que je n'ai pas le choix.

— Pas trop, non, répond Julie avec un grand sourire.

Bien qu'elle soit partie un peu à reculons, Marthe décide de s'abandonner à cette fantaisie que sa famille lui a réservée. À seize heures, quand tout est terminé, elle constate que le temps a passé à toute vitesse et qu'elle a apprécié chaque minute de sa journée avec ces femmes professionnelles et douées. Ingrid l'attend, Mélina dans les bras.

— Marthe, vous êtes magnifique !

— Merci, ma belle fille.

— Je suis certaine que vous avez passé une belle journée.

— Merveilleuse.

Quand elles arrivent toutes les trois au logement de Marthe, William, Julie, Hélène et Gabriel sont au salon en train de prendre l'apéro. Marthe se joint à eux.

— Olivier est pas là ? demande-t-elle.

— Il va revenir dans quelques minutes avec une surprise.

En effet, une dizaine de minutes plus tard, Oli revient à l'appart avec Zachary, qu'il a sorti pour quelques heures. Le vieil homme ne comprend pas trop où il est, mais les visages connus de son fils, de Marthe et de Julie le rassurent. Marthe est comblée et passe, avec les siens, la plus belle soirée depuis très longtemps.

❧

Voilà quelques jours qu'Ingrid jongle avec la nouvelle. Elle ne sait trop comment réagir et elle ressent le besoin d'y réfléchir seule, avant d'en parler à Oli. Curieusement, elle ne rejette pas d'emblée la possibilité d'aller de l'avant avec cette grossesse. Par contre, elle n'est pas non plus transportée de joie. Les fausses couches ont grandement hypothéqué sa capacité de se réjouir du fait d'être enceinte. De plus, leur vie avec Mélina est tellement agréable. Elle n'a aucune idée encore de ce qu'elle doit faire...

❧

Le lendemain matin, Maria vient s'asseoir avec Frédérick à la table du petit-déjeuner.

— J'ai réfléchi...

— Ah bon?

— En fait, non, Amalia m'a fait réfléchir, si je veux être franche.

— Et?

— Je vais refuser l'offre de monsieur Rouleau.

Frédérick ne peut s'empêcher de laisser aller un soupir de soulagement.

— Ça te pesait à ce point, *mi amor*?

— Encore plus que tu peux le penser. Qu'est-ce qu'elle t'a dit qui t'a fait changer d'idée?

— Elle m'a rappelé mes valeurs. Celles que j'avais perdues de vue, aveuglée que j'étais par l'argent. *El afàn de lucro*[9].

— Ça partait d'une bonne intention, dit Frédérick.

— Peut-être, mais c'est pas moi de vouloir faire une chose pareille. Amalia m'a ouvert les yeux.

— Tu la remercieras de ma part.

On sonne à la porte. Frédérick va répondre et revient après quelques minutes avec une enveloppe à la main.

— Maria.

— Oui?

— Une lettre d'Immigration Canada.

Maria devient très pâle tout à coup. Frédérick lui tend l'enveloppe. Maria fait « non » de la tête.

— Ouvre-la, toi.

— T'es certaine?

— Oui.

— *Mi amor*, attends! Si je deviens résidente, promets-moi qu'on pourra s'occuper des enfants de ma sœur.

— Les adopter, tu veux dire?

— Au moins, les faire venir. J'ai de la famille qui pourra s'en occuper avec nous.

Maria attend la réponse de Fred avec espoir. Frédérick ne sait pas trop dans quoi il va s'embarquer, mais il se doute bien que Maria tient à s'occuper de ces enfants, qu'elle n'acceptera jamais un non. *On trouvera bien une solution, il y a toujours des solutions à tout.*

— OK.

— Merci, merci, tu es le mari le plus formidable du monde! dit-elle en lui enserrant le cou avec fougue. Maintenant, ouvre la lettre.

Frédérick ouvre l'enveloppe et lit. Il garde un visage neutre. Maria est au bord de la crise de nerfs.

---

9. L'appât du gain.

— *Entonces, ¿qué dice*[10]? demande-t-elle

— Que Maria Teresa Gomez Gutierrez obtient sa résidence canadienne. Tu peux rester, mon amour!

Fred lui fait son plus beau sourire. Maria crie de soulagement et de bonheur. Elle se précipite dans les bras de son mari.

— *Dios mio!* Je ne peux pas le croire.

Elle frappe la poitrine de son amoureux.

— Et toi, *no me vuelvas a hacer semejante miedo*[11] !

— Promis! répond Frédérick en riant.

— Mon amour, c'est le plus beau jour de ma vie!

— Moi aussi.

— Et tu sais quoi, Frédérick Harrison? Le jour où je porterai un enfant, ce sera le tien et il sera canadien!

Ils s'embrassent avec ardeur.

Plus les jours passent, plus l'idée fait son chemin chez Ingrid. Elle contemple désormais cette possibilité de manière détendue, presque détachée, du moins sans angoisse. Le fait d'être déjà mère, la maman de Mélina, lui donne une force et une assurance qu'elle ne croyait pas posséder. Elle réalise soudain que la peur l'a enfin quittée. Et la réponse s'impose à elle.

Avant son déménagement, Marthe a fait transporter deux fauteuils de son salon à la chambre de Zachary. Ils sont donc confortablement installés dans des meubles de qualité. Marthe passe encore beaucoup de temps auprès de lui. Elle lui fait la lecture ou lui raconte les dernières nouvelles de la famille.

---

10. Alors qu'est-ce que ça dit?

11. Tu ne me fais plus jamais une peur pareille!

Zachary sourit gentiment, mais ne retient les informations que quelques instants. Souvent ils s'endorment tous les deux, main dans la main.

— On a eu une sacrée belle vie tous les deux pendant ces années où on a été ensemble. Merci pour tout, Marthe. Je t'aimerai toujours.

Marthe ouvre les yeux et regarde Zachary dont le regard est vague, comme d'habitude. A-t-elle rêvé? Lui a-t-il vraiment dit ça, dans un de ses rares moments de lucidité? Elle ne sait pas. Elle lui serre la main avec tendresse, choisissant de croire qu'il l'a réellement dit.

— Je t'aime aussi, mon gros lion.

Ingrid va rejoindre Olivier chez DuoBuzzz. Quand elle ouvre la porte, Mélina se précipite dans les bras de son père.

— Oh, Mélinette et ma belle blonde, qu'est-ce que vous faites ici? T'as pas oublié que je travaille ce soir, hein?

— Non, non. Mélina et moi, on avait envie de venir te faire un p'tit coucou.

— Très bonne idée, ça va m'obliger à faire une pause.

— Chat, chat! dit Mélina, cherchant Buzzz-le-chat des yeux.

Olivier pose sa fille par terre et lui indique le mur de fenêtres.

— Il est quelque part par là.

Mélina part dans cette direction en trottinant sur ses petites jambes potelées. Olivier la regarde, puis se tourne vers Ingrid, tout sourire.

— Jamais rien vu d'aussi *cute*. Je me tanne pas de la regarder.

— Justement…

— Justement quoi?

— J'avais une question à te poser.

De derrière un petit meuble, ils entendent Mélina s'exclamer.

— Chat!!! Viens voir Mélina!

Un instant plus tard, Mélina réapparaît avec le chat dans les bras. Buzzz-le-chat, pourtant pas très gros, paraît immense dans les bras de la petite.

— Tu l'as trouvé! Bravo, Mélina.

Je me suis laissé trouver, se dit Buzzz-le-chat en se laissant transporter la tête en bas, une patte qui traîne. Il sait qu'Olivier craque de les voir ensemble. Ça faisait longtemps qu'il n'avait pas vu la petite humaine, d'ailleurs. *Où était-elle donc passée?* Mélina s'assoit sur le tapis au centre du bureau et entreprend de le flatter. Buzzz ronronne.

— Ronron! s'écrit Mélina, ravie.

Buzzz-le-chat se tourne vers Oli et Ingrid. Son instinct lui dit qu'il va se passer quelque chose de bon. Le petit frisson dans son échine quand il les regarde, ça ne trompe pas.

— Fait que... c'est quoi, ta question?

— Qu'est-ce que tu penserais d'avoir un petit frère ou une petite sœur pour Mélina?

Olivier se rembrunit. Buzzz lève la tête, surpris. Il aurait pourtant juré que ce qui s'en venait était positif et voilà que son Oli semble contrarié.

— Je te l'ai dit, Ingrid, je ne veux pas repasser par où on est passés avec la p'tite. C'est trop difficile, je supporte pas de...

— Je sais ça, Oli, j'ai compris et j'insisterais jamais, voyons.

— Ben je comprends pas, d'abord.

— Je suis enceinte, mon amour.

Olivier est bouche bée, mais reste prudent car Ingrid a fermement exposé son refus de tenter de mener une autre grossesse à terme.

— Et?

— Ben, c'est ça.

— Tu voudrais le garder?

— Oui.

— Mais t'avais fait une croix là-dessus.

— Je sais, répond Ingrid calmement.

— Je sais pas si ça me tente de te voir revivre ça.

— Ou pas. Ça pourrait fonctionner cette fois-ci, plaide Ingrid.

— Peut-être. Cinquante pour cent des chances. Pis si jamais...

— Peu importe ce qui va arriver, je me sens assez forte pour le vivre sereinement. Mais, maintenant, j'ai vraiment envie d'essayer encore une fois. Qu'est-ce que t'en dis?

Olivier prend quelques secondes avant de répondre, sachant que chaque mot de la phrase qu'il s'apprête à prononcer va marquer le cours de leur histoire.

— J'en dis que c'est la meilleure affaire qui pouvait nous arriver. Je suis fou de joie, ma belle blonde!

Ingrid sourit, des larmes perlant au coin de ses yeux. Elle va se lover dans les bras de son mari qui la serre très fort contre lui.

Buzzz-le-chat ressent le ravissement de son Oli et sourit intérieurement. *Ah, voilà! J'avais raison, comme d'habitude.* Et quand Olivier et Ingrid sont heureux, Buzzz l'est aussi.

Remerciements

Merci à Michel d'Astous (mon Mike) d'avoir accepté de me confier les personnages que nous avons créés ensemble.

Merci aussi à Dominique Drouin pour cette deuxième collaboration tout aussi merveilleuse que la première et pour notre amitié, qui ne se dément pas.

Je tiens également à remercier chaleureusement Roxane Loiseau, si talentueuse et sensible, d'avoir accepté avec autant d'enthousiasme de participer à ce projet. Merci aussi de nous avoir donné cette merveilleuse Ingrid!

À toute la gang de Duo Productions, merci de votre soutien quotidien.

Merci à Christian Jetté, président à l'édition du secteur livres de Québecor, à Judith Landry, directrice générale du Groupe Homme et à tout le personnel des Éditions de l'Homme, pour cette expérience qui se poursuit dans le bonheur. Un merci tout spécial à mon éditrice, Pascale Mongeon, pour son soutien.

Un gros merci aussi à toute l'équipe des fictions de TVA, pour la confiance qu'elle me témoigne depuis tant d'années.

Et enfin, à vous tous et toutes, lecteurs et lectrices, merci d'être venus nous voir à la parution des premiers romans. C'est un privilège de vous rencontrer et d'échanger avec vous! Merci de votre indéfectible fidélité.

Les auteures

© François Couture

ANNE BOYER et Michel d'Astous racontent des histoires qui accompagnent les téléspectateurs depuis plus de trente ans. Le duo a enchaîné les œuvres à succès allant de la série policière à la saga historique en passant par le téléroman où les relations familiales sont toujours exploitées avec une justesse émouvante. La série *Yamaska* a fait vibrer près d'un million et demi de Québécois chaque semaine pendant sept ans sur le réseau TVA. Depuis 2018, Anne propose, en collaboration avec Dominique Drouin, un complément romanesque à la série en prolongeant le destin des personnages phares de Yamaska, ce qui a donné naissance à une série de romans chaudement accueillis par les nombreux fans de la série.

© François Couture

DOMINIQUE DROUIN a exercé les métiers d'auteure, de scénariste et de directrice de maisons d'édition. À titre d'écrivaine, elle a signé *Roman de jeunesse* et la saga *De mères en filles*, en quatre tomes. En 2018, elle s'est jointe à Anne Boyer pour imaginer un complément romanesque présentant les destins de Hélène, Réjanne et Julie, trois personnages phares de la série Yamaska. Fortes du succès de cette première collaboration à quatre mains, les auteures récidivent avec de nouvelles intrigues qui sauront de nouveau gagner le cœur des lecteurs.

Imprimé chez Marquis Imprimeur inc. sur du Rolland Enviro.
Ce papier contient 100 % de fibres postconsommation,
est fabriqué avec un procédé sans chlore
et à partir d'énergie biogaz.